LA CUISINE AVEC ®

les Barbecues Grils, Rôtissoires

Voici dans ma collection « La Cuisine avec », « La Cuisine avec les barbecues, grils et rôtissoires ».

Une cuisine joyeuse, chaleureuse. Une cuisine bien de notre époque, où l'improvisation aime à retrouver ses sources dans le passé.

Le gril et la rôtissoire électriques, c'est la facilité de la vie moderne, mais dans l'esprit de la cuisine traditionnelle.

Le barbecue, c'est la porte ouverte à la fantaisie. La cuisine-hobby, la cuisine en famille, la cuisine entre amis, celle qui s'aventure hors des sentiers battus et s'amuse de ses trouvailles !

Ici, chaque recette est bien plus qu'une recette : une idée de base destinée à ouvrir votre imagination en même temps que votre appétit. Un thème qui se prête à toutes les variations.

Et c'est justement parce que Colette Montrichard partageait pleinement cette conception que j'ai choisi de lui confier la création et la réalisation des recettes de ce volume.

Certes, elle s'appuie sur les bases simples et solides de la technique culinaire classique (Colette Montrichard a « fait ses classes » avec moi durant plusieurs années). Mais c'est pour mieux vous libérer des contraintes : ici, pas de quantités mesurées au gramme près, pas de temps chronométrés, pas d'ingrédients imposés...

Champ libre à l'invention, à la découverrte, à la création de plats qui soient pour celle (ou celui) qui les fait, comme pour ceux qui les dégustent, un plaisir décontracté, un partage amical... une **fête.**

Françoise Bernard

DANS LE VENT
DEPUIS 30 000 ANS

L'art de rôtir, de griller et de « barbecuire » est aujourd'hui à la mode.

Une mode qui dure depuis quelques dizaines de milliers d'années.

Un soir d'hiver à l'aube des temps, un chasseur — ou n'était-ce pas plutôt sa compagne ? — eut l'idée de tenir au-dessus du foyer qui réchauffait leur caverne une côtelette d'auroch piquée au bout d'une baguette de coudrier.

Le barbecue était inventé.

Le lendemain (ou plusieurs siècles après) on voulut faire de même avec un gigot d'antilope : la baguette cassa. On prit alors une branche pointue à une extrémité et tordue à l'autre, sur laquelle on enfila le gigot et que l'on plaça sur deux fourches plantées en terre de chaque côté du feu.

La première rôtissoire à broche.

Beaucoup plus récemment — il y a seulement 5 000 ans — un artisan enduisit d'argile une claie d'osier pour l'empêcher de s'enflammer.

Ce gril d'avant l'âge du fer a été retrouvé près d'un village lacustre d'Europe centrale.

Gril, rôtissoire, barbecue : les trois modes de cuisson les plus anciens sont aussi les plus « dans le vent » — moyennant quelques perfectionnements techniques il est vrai.

Ce sont également les plus recommandables. Sur tous les plans : gastronomique, diététique, pratique et même... social.

LES 2 FAÇONS DE GRILLER

RETOUR A LA « SOURCE »

Griller, c'est cuire un aliment en l'exposant directement à la source de chaleur, sans « milieu de cuisson » tel qu'eau, vapeur ou corps gras.

La chaleur provoque alors à la surface de l'aliment la formation d'une sorte de croûte, dûe à la coagulation des protéines et à la caramélisation des sucres. A l'intérieur de cette croûte, l'aliment cuit pour ainsi dire « en vase clos ».

Pour que la croûte se forme rapidement, il faut une chaleur élevée, plus ou moins vive selon l'aliment à griller : la côte de bœuf demande à être « saisie », pas celle de porc.

Cette chaleur peut agir de 2 façons : par rayonnement ou par contact.

Par rayonnement à distance

Tout comme la lumière, la chaleur « rayonne » à partir d'une source.

Elle est transmise à travers l'air par les rayons infrarouges qui pénètrent l'aliment sans en brûler la surface, mais aussi par l'air lui-même, chauffé « à sec », qui assure la formation de notre fameuse « croûte ».

Pour être soumis à ce rayonnement, l'aliment est soit posé sur un gril plus ou moins rapproché de la source de chaleur, soit enfilé sur une broche (surtout si c'est une grosse pièce à rôtir) soit encore les deux à la fois : chiche-kebab et brochettes en tous genres.

La source de chaleur peut être :
● La braise* d'un feu de bois ou de charbon de bois : c'est le barbecue.
● L'électricité : résistances blindées ou tubes de quartz. C'est la rôtissoire ou le gril à rayonnement.

Par contact direct

Ici, la source de chaleur est une plaque, lisse ou cannelée, chauffée le plus souvent à l'électricité : c'est le « gril de contact ».

Après un pré-chauffage plus ou moins intense selon la pièce à griller, on y dépose celle-ci. La chaleur lui est transmise à la fois par contact avec la surface du gril, et par l'air très chaud qui circule dans les cannelures lorsque le gril en comporte.

Cette façon de griller convient particulièrement bien aux aliments pas trop épais. On peut soit griller chaque face successivement sur un gril simple, soit les deux faces en même temps sur un gril double.

LES VIANDES MAIS AUSSI !...

Rayonnement ou contact, lorsque l'on parle de rôtir à la broche ou de griller, c'est d'abord à la viande que l'on pense. A toutes les viandes : bœuf, veau, mouton, porc, abats, volaille, gibier...

Mais les poissons ? Griller un poisson est certainement le moyen le plus sûr de profiter de ses qualités, gustatives autant que nutritives. N'oublions pas non plus les crustacés, coquillages, fruits de mer.

A propos de fruits, savez-vous que plusieurs d'entre eux — pommes, bananes, ananas par exemple — se grillent délicieusement, tout comme une grande variété de légumes, dont certains auxquels vous n'auriez peut-être pas pensé...

Attention : griller n'est pas flamber ! C'est au dessus de la braise et non dans les flammes que l'aliment doit griller.

GRILLADES GOURMANDES.

LES PUPILLES AVANT LES PAPILLES.

Le plaisir de manger est avant tout une affaire de goût. Mais avec les grillades, ce sont les cinq sens qui sont comblés.

Tout d'abord, on hume avec délices ce fumet riche et prometteur... On écoute ce sympathique grésillement annonciateur de voluptés gastronomiques... Et surtout, on dévore des yeux cette robe uniformément dorée par la lente et régulières rotation de la broche, ou « marquée au fer » du signe de la vraie grillade : c'est appétissant quadrillage dessiné par les barres ou les cannelures du gril (pensez seulement au 1/4 de tour à mi-cuisson !)

LA PRISON DES SAVEURS.

Croustillante, la surface cède en craquant sous le couteau, puis sous la dent, révélant enfin les tendres trésors de saveur qu'elle avait jusqu'ici tenus emprisonnés.

Grillées ou rôties à la broche, les viandes gardent tout leur jus, leurs sucs, leurs principes gustatifs. Les poissons retrouvent, pour notre plus grand plaisir, cet authentique goût marin que tant de préparations sophistiquées nous avaient fait oublier (sans compter que ceux qui se prêtent le mieux à la cuisson au gril sont en général parmi les moins chers : sardines, harengs, maquereaux...) Les légumes et les fruits, enfin, découvrent leur vraie nature, leur saveur originale, simplement exaltée par une cuisson « écologique ».

GOÛT : INTACT.

Sur le gril, la cuisson est rapide : la saveur de chaque aliment demeure intacte. Cuite à la broche, la viande laisse s'écouler dans la lèchefrite une partie de sa graisse superficielle : aucune âcreté de graisse « cramée » ne vient altérer le bon goût du rôti.

Un excellent exemple : le mouton. Beaucoup se plaignent de son « odeur de suint ». Or celle-ci est due essentiellement à la graisse qui s'accumule dans le plat de cuisson et communique son goût à la viande elle-même. A la broche, rien de tel : la graisse fond, mais ne reste pas au contact du rôti, et l'on redécouvre le mouton tel qu'il est en réalité : tendre et savoureux.

DES IDÉES PLEIN LA FÊTE !

Le respect du goût des aliments n'interdit pas, bien au contraire, de jouer avec les saveurs, de les marier ensemble, de les parfumer d'herbes et d'aromates, de les relever d'épices, de les imprégner de marinades...

De tous les modes de cuisson, le gril et la broche sont sans aucun doute ceux qui ouvrent le plus largement la voie à la « créativité ». Et cela sans préparations compliquées, sans tours de main périlleux, bref sans qu'il soit nécessaire d'être un « grand chef ». Juste quelques conseils simples à suivre, une collection de bonnes recettes (auxquelles s'ajouteront vos créations personnelles)... et à vous la toque du maître-rôtisseur et de virtuose du gril !

Les brochettes, notamment, permettent toutes les fantaisies. A votre « barbecue party », vos invités pourront même s'amuser à composer leurs brochettes, chacun à son idée.

Or en France, nous manquons peut-être de certaines choses, mais des idées, nous en avons. Surtout en cuisine.

Mais attention ! prévoyez assez d'ingrédients, tant en quantité qu'en variété, car « l'appétit vient en grillant ! » Les enfants eux-mêmes, qui parfois « boudent » la viande ou le poisson, mangent avec plaisir ce qu'ils ont vu (et senti) griller, ou regardé tourner et dorer dans la rôtissoire.

Et c'est ainsi que les repas redeviennent ce qu'ils n'auraient jamais dû cesser d'être : une fête.

GRILLADES LÉGÈRES

CUISSON « EN CROÛTE » : ÉLÉMENTS NUTRITIFS PRÉSERVÉS.

Cette appétissante « croûte » qui se forme à la surface de la grillade et qui emprisonne si bien les saveurs, assure aussi la préservation des éléments nutritifs : protéines de la viande et du poisson, vitamines, sels minéraux, fer, phosphore, et les précieux oligo-éléments tels que fluor, iode, manganèse, etc. Ces substances sont indispensables à un équilibre alimentaire, au bon fonctionnement de l'organisme et à la croissance des enfants.

VITE CUIT : VITAMINES SAUVEGARDÉES

Plus un aliment cuit longtemps, plus il perd ses vitamines, détruites par la chaleur et l'oxydation. La rapidité de la cuisson au gril permet de conserver un maximum de vitamines : vitamine C des légumes et des fruits, mais aussi les vitamines de la viande et du poisson dont on oublie un peu trop souvent l'existence et les bienfaits. Les vitamines du groupe B, par exemple, sont utiles à l'équilibre nerveux général. La vitamine A favorise une bonne vision et la vitamine D facilite l'assimilation du calcium.

Le foie de veau ou de génisse est particulièrement riche en vitamines : les enfants le mangent beaucoup plus volontiers lorsqu'il est grillé « avec le dessin dessus ».

MOINS DE CORPS GRAS POUR GARDER UN CORPS JEUNE.

« Diminuez votre ration de graisse » nous disent les diététiciens. Conseil facile à suivre pour qui possède une rôtissoire, un barbecue, un gril.

A la chaleur, la viande perd une partie de sa graisse qui fond et s'écoule soit dans la lèchefrite, soit dans les cannelures du gril. Cet « allègement » est très appréciable dans le cas des abats : saucisses, andouillettes, boudin. Et la graisse qui s'élimine ainsi d'elle-même est une graisse animale, la moins bien tolérée par l'organisme.

Autre avantage : ce mode de cuisson ne nécessite que peu de matière grasse, ou même pas du tout.

Si l'on doit utiliser un corps gras, on choisira le plus sain et celui qui résiste le mieux à la chaleur : une bonne huile végétale que l'on appliquera au pinceau en une fine pellicule qui disparaîtra à la cuisson. Les grils à revêtement anti-adhésif permettent même de se passer complètement de corps gras dans la plupart des cas : viandes, poissons gras, légumes et fruits grillés dans leur peau.

8

ON DIGÈRE AUSSI AVEC LES YEUX...
ET LE NEZ.

Moins chargés en graisse, les aliments grillés ou rôtis à la broche sont évidemment plus faciles à digérer.

De plus, chacun sait qu'un mets appétissant, odorant et savoureux, mangé de bon appétit et avec plaisir, « passe » toujours mieux.

L'ambiance qui entoure le repas compte également beaucoup.

La grillade au barbecue, à la rôtissoire ou au gril a le don de créer cette atmosphère joyeuse, amicale, détendue qui fait les après-repas heureux.

La sagesse populaire ne dit-elle pas que « rire et causer font bien digérer » ?

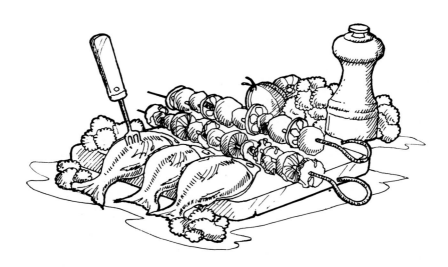

LE MATÉRIEL

Ne dites pas « j'ai déjà une rôtissoire, je n'ai pas besoin d'un gril ».

Certes la rôtissoire est irremplaçable pour les grosses pièces de viande ou de volaille. Vous pouvez aussi y faire des brochettes et même y griller de petites pièces de viande et du poisson.

Mais si vous aimez les vraies grillades, bien saisies sur les deux faces et juteuses à l'intérieur, il vous faut votre gril électrique.

Emploi facile, cuisson rapide : vous vous en servirez pratiquement tous les jours pour vos steaks, côtes de porc et d'agneau, escalopes de veau, foie, saucisses, poissons, etc.

Et quand vous aurez des invités, il « donnera un coup de main » à votre rôtissoire pour que toutes les brochettes ou toutes les grillades soient prêtes à servir en même temps.

DEHORS : LE BARBECUE

Le barbecue, c'est à la fois un gril et une rôtissoire de plein air : au jardin, sur la terrasse, en camping, en pique-nique... Steaks, côtes de porc et de mouton, escalopes de veau, saucisses, poisson, légumes, fruits, tout se « barbecuit ».

Mais c'est beaucoup plus encore : un art de cuire et un art de vivre. Un retour aux sources culinaires. Une fête gastronomique. Une façon de recevoir « dans le vent ».

Et si, comme cela arrive souvent, votre mari et parfois même vos invités veulent jouer les « chefs », c'est vous qui devenez l'invitée !

COMMENT CHOISIR
VOTRE BARBECUE

DU PRIMITIF AU SOPHISTIQUÉ

Le plus simple des barbecues, le plus « primitif » est-on tenté de dire, se compose d'un récipient à braise, le « foyer », surmonté d'un gril.

A partir de ce modèle de base, une étonnante variété de barbecues ont été imaginés, qui répondent à tous les besoins, à toutes les circonstances, à toutes les fantaisies. Le plus sophistiqué : un véritable petit « chariot à barbecue » avec 2 foyers, tournebroche électrique, table de coupe, chauffe-assiettes et toit amovible !

Pour bien choisir parmi cette abondance, vous devez d'abord vous poser deux questions et imposer deux exigences.

1. Où barbecuirez-vous ?
● Sur une table de jardin, sur un muret ou dans l'âtre de votre cheminée ? Choisissez un modèle dit « de cheminée », sans pieds.

● Dans votre jardin ou sur votre terrasse ? Vous avez tout un choix de modèles à pieds fixes ou amovibles (si vous voulez l'utiliser aussi dans la cheminée) ou à roues pour le déplacer facilement.

● En camping ou en pique-nique ? Prenez un barbecue pliant qui se transforme en valise.

2. Que barbecuirez-vous ?
● Steak, côtelettes, etc. ? Choisissez un barbecue simple mais avec un gril assez grand pour cuire toutes vos grillades en même temps.

● Brochettes, saucisses, boudin ? La surface de cuisson n'a pas besoin d'être aussi grande, mais pensez au nombre de vos convives.

● Rôtis, volailles ? Il vous faut un barbecue à broche ; de préférence un modèle dont le foyer bascule en position verticale : ainsi la graisse fondue ne tombe pas sur la braise, mais dans une lèchefrite.

3. Stabilité
Rien de plus désagréable et de plus dangereux qu'un barbecue qui boîte sur un sol inégal et se renverse si on le heurte. Aussi, quand vous achèterez le vôtre, n'hésitez pas à le bousculer et à le chahuter un peu. Et si vous choisissez un modèle à roues, exigez qu'il soit équipé d'un système de blocage.

Autre sécurité : les barbecues bien conçus ont un pare-vent et de bonnes « joues » latérales pour éviter la dispersion des escarbilles et cendres brûlantes.

600.000 appareils vendus en France. Principales marques : Le Creuset, Cocambroche et Valmon.

4. Solidité

Un barbecue ne doit pas se déformer à la chaleur. Son foyer sera donc en fonte ou en acier suffisamment épais (au minimum 10/10 mm) et le gril en acier.

Un barbecue ne doit pas rouiller aux intempéries. Les matériaux recommandés sont donc : l'acier inox ou nickelé pour le gril ; l'acier laqué ou inox pour la carrosserie et les pieds.

Les barbecues répondant à ces exigences de sécurité sont évidemment un peu plus chers, mais il vaut mieux investir dans un équipement sérieux qui durera de longues années plutôt que d'acheter à chaque printemps un matériel léger qui ne fera qu'un seul été.

De toute façon, depuis le 1er octobre 1979, tous les barbecues de plein air mis en vente doivent être conformes à la norme homologuée NF D 37-101. C'est une garantie officielle de sécurité.

FOYER : FONTE OU ACIER ?

On peut hésiter.

La fonte a l'avantage de bien garder la chaleur et de défier le temps (surtout si elle est émaillée). Mais elle risque de casser si elle tombe, et elle est lourde. On la réservera donc aux barbecues que l'on ne déplace pas souvent.

L'acier est léger, ne se casse pas, et conduit bien la chaleur. Mais on veillera à ce qu'il soit suffisamment épais pour ne pas se déformer à la chaleur, et inoxydable ou émaillé.

RAFFINEMENTS UTILES

- Gril réglable en hauteur.
- Tournebroche électrique à piles et mécanique.
- Foyer basculant, lèchefrite et foyer fixe permettant la cuisson simultanée de rôtis et grillades.
- 2 foyers séparés pour gril et rôtissoire.
- Pieds démontables.

ACCESSOIRES

Indispensables :
- Tisonnier.
- Pelle à braise.
- Pincettes.
- Soufflet.
- Gants de cuisine à longs crispins.
- Brochettes.
- Pince à long manche pour retourner sans piquer.
- Cuillère à bec et long manche pour arroser.
- Pinceau à long manche pour badigeonner.

Utiles :
- Brochette-panier pour les petits poissons.
- Broche-corbeille pour les gros poissons ou pièces de viande avec os, difficiles à équilibrer sur une broche.
- Fourchette à long manche.
- Salière-poivrière à long manche.
- Thermomètre culinaire.
- Planche à viande avec rigole.
- Papier alu.
- Corbeille à déchets.

LE CREUSET

Le dernier catalogue Le Creuset présente 13 modèles
depuis l'« Hibachi », gril rond de cheminée « à la japonaise »
jusqu'au prestigieux « Grillardin » à deux roues, deux foyers
et toit amovible, ainsi qu'un large choix d'accessoires.
Signalons, entre autres :
- Pour sa sécurité : le tout nouveau « Formule 2 ».
Stable sur une pente à 15 %, il est muni
d'un triple système de blocage : roues, foyers et grilles.
- Pour leur originalité : la « Brouette »,
à une grande roue et très stable ;
le « Double Mixte » à deux foyers séparés
pour griller, rôtir et même cuire à l'étouffée
grâce à leurs couvercles-cheminées.
- Pour son astuce : le « Tournegril double fonction ». Il grille à
l'horizontale, rôtit à la verticale et se transporte dans sa valise.
Tous les foyers des barbecues Le Creuset sont en acier épais
10/10 mm, ou en fonte émaillée. Leur capacité en charbon de bois
a été calculée pour durer tout le temps de cuisson, c'est-à-dire
environ une heure pour un rôti à la broche.

COCAMBROCHE

Cocambroche propose deux gammes de barbecues en acier
émaillé : 9 barbecues de plein air et 7 de cheminée,
en même temps qu'une grande variété d'accessoires.
Huit des barbecues de plein air comportent 1 ou 2 grils,
1 ou 2 broches à mouvement d'horlogerie,
et permettent la cuisson rôti et grillade simultanée,
donc sans manœuvre du foyer.
Sept d'entre eux sont des ensembles-barbecue complets,
avec roues, étagères, accessoires et même,
pour les modèles « Touraine » et « Grand Chef »,
table de travail en carreaux de céramique,
planche à viande, étuve, chauffe-assiettes.
Deux ont un foyer amovible utilisable en cheminée.
Parmi les Cocambroche de cheminée, signalons : le modèle
« Living » très complet, avec foyer à double face et gril de contact.
D'autres Cocambroche sont des broches sur chenets avec
tournebroche et lèchefrite, chauffés par le foyer de la cheminée.
Le modèle « Gargantua » a une broche d'un mètre
pour très grosses pièces.

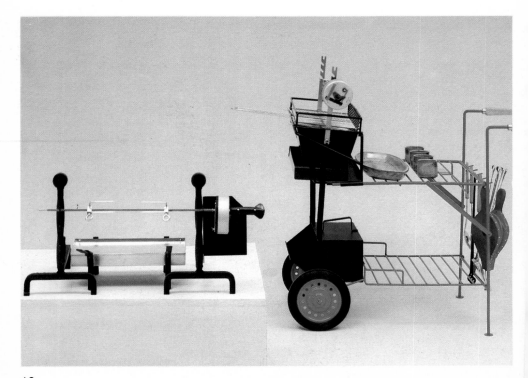

VALMON

La gamme des barbecues Valmon comprend :
4 barbecues-mallettes, 3 barbecues double foyer
et 3 barbecues « premier prix ».
Les barbecues-mallettes Valmon possèdent soit un foyer acier
ou fonte, basculant à 90° pour l'emploi en gril ou en broche,
soit un double foyer : horizontal pour le gril, vertical pour la broche.
Tous sont livrés avec moteur tournebroche à pile
et mallette à couvercle chromé ou laqué.
Dernier né des barbecues double foyer Valmon :
le barbecue « haute sécurité » : très stable, il est en acier
de 20/10 mm et le foyer est protégé de tous côtés.
Son gril, à bords relevés pour éviter les chutes,
a deux hauteurs de cuisson.
Sa rôtissoire parabolique « saisit » rapidement.
Les modèles « premiers prix » sont simples et économiques.
Deux d'entre eux sont équipés d'une broche,
le troisième est pliable et portable.

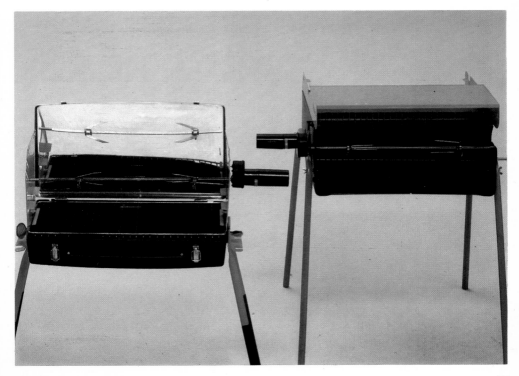

COMMENT CHOISIR
VOTRE GRIL

AVEC OU SANS CHAUFFAGE INTÉGRÉ ?

Il existe de nombreux types de grils, à commencer par les grils traditionnels, non chauffants, peu onéreux, mais qu'il faut placer au-dessus ou au-dessous d'une source de chaleur : gaz ou électricité (ou la braise d'un barbecue).

Il est donc plus pratique d'utiliser un gril électrique, qu'il suffit de brancher sur une prise.

RAYONNEMENT OU CONTACT ?

Les grils électriques ont d'abord été des grils à rayonnement : la chaleur rayonnée par une résistance électrique cuit la pièce de viande posée sur une grille horizontale ou placée entre 2 grilles verticales.

Mais tous ces modèles sont aujourd'hui supplantés par les grils électriques de contact à 1 et surtout à 2 plaques, lisses ou cannelées, en aluminium revêtu d'un anti-adhésif.

● **Les 2 plaques** grillent simultanément les 2 faces de l'aliment : tous les sucs nutritifs et tous les éléments gustatifs sont emprisonnés à l'intérieur. Le temps de cuisson est réduit de moitié, et les grillades sont servies bien chaudes.

● **Les cannelures,** profondes et espacées, donnent à la viande la saveur et l'aspect des vraies grillades. Elles grillent à la fois par contact avec le sommet des cannelures (ce qui donne le dessin « grillé » caractéristique) et par la chaleur de l'air qui circule dans les creux (ce qui donne le doré et le croustillant).

● **L'anti-adhésif** évite ou réduit l'utilisation de corps gras, permet de griller sans problème les poissons les plus fragiles (les rougets barbets, par exemple) et facilite considérablement l'entretien, surtout si les plaques sont amovibles.

Il se vend 500 000 grils par an en France.
Les principales marques
sont SEB (50 % du marché),
MOULINEX (30 %) et CADILLAC.

SEB

Le Gril Minute SEB est d'une forme simple et fonctionnelle
qui assure une grande surface de contact et un rangement facile.
Les deux plaques sont anti-adhésives et démontables.
Grâce à son dos articulé et coulissant, le Gril Minute accepte
les pièces de viande jusqu'à 6 cm d'épaisseur.
Un dispositif très simple maintient les plaques écartées
pour griller les aliments fragiles sans les écraser :
poissons, tomates... et réchauffer quiches, pizzas, etc.
Deux plaques « spécial gaufres » permettent de réussir
simultanément deux gaufres chaudes et croustillantes.
Promoteur de la cuisson « double face »,
SEB présente également un gril une face :
le Mix Gril, à grande plaque anti-adhésive lisse
pour poissons, viandes, charcuterie,
œufs, légumes, desserts, etc.

MOULINEX

Le Gril-Express gaufrier Moulinex est équipé
de deux jeux de plaques interchangeables :
2 plaques cannelées pour l'utilisation gril,
et 2 plaques à gaufres pour préparer environ 40 gaufres à l'heure.
Ces plaques sont anti-adhésives et lavables en lave-vaisselle.
Le Gril-Express accepte les aliments jusqu'à 7 cm d'épaisseur.
La plaque supérieure peut être maintenue en position haute
par un arceau pour gratiner et réchauffer
pizzas, quiches, brochettes, croissants, etc.
Le Gril-Express est équipé d'un thermostat
et de 2 voyants de contrôle.
* Moulinex propose aussi un **grille-viande** à rayonnement
dans lequel une simple résistance située sous la grille
peut se régler en position haute pour les grillades « à bien saisir »
et les gratins, ou en position basse
pour les grillades cuites à cœur.

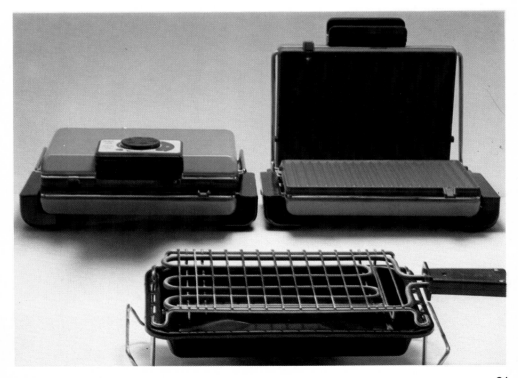

COMMENT CHOISIR
VOTRE ROTISSOIRE

RÔTISSOIRE OU RÔTISSOIRE-FOUR ?

Dans une rôtissoire simple, la chaleur provient uniquement du rayonnement émis par les résistances électriques situées au-dessus de la pièce à rôtir. Mais comme celle-ci tourne sur sa broche, le rôtissage est uniforme.

La rôtissoire-four possède 2 sources de chaleur : une en haut (résistance de voûte) pour l'utilisation en rôtissoire, à laquelle s'ajoute une seconde résistance située en bas (résistance de sole) pour les cuissons courantes au four, notamment la pâtisserie. Ces appareils ont une porte à deux positions : entr'ouverte en rôtissoire, fermée en four.

ATTENTION AUX DIMENSIONS

Les dimensions extérieures d'une rôtissoire ont certes leur importance, surtout si vous avez un problème de place, mais examinez attentivement les dimensions intérieures et (on l'oublie souvent) la longueur de l'élément chauffant : elle peut varier de 28 cm à plus de 40 cm. D'elle dépend la taille de ce que vous pourrez faire rôtir : petit rosbif ou grosse dinde.

NOUVEAU : LE QUARTZ

La plupart des rôtissoires ont de simples résistances blindées c'est-à-dire incorporée dans un isolant bon conducteur de la chaleur et revêtues d'une gaine de métal qui en chauffant, émet un rayonnement infra-rouge.

Dans certains modèles récents, les résistances de voûte sont enfermées dans un tube de quartz, matière transparente aux rayons infra-rouges : le rayonnement émis par la résistance elle-même chauffe directement la pièce à rôtir, comme le rayonnement de la braise dans les rôtisseries d'autrefois.

Plus de 330 000 rôtissoires vendues par an. Les principales marques sont MOULINEX 62 % et CADILLAC 23 %

MOULINEX

La gamme Moulinex comprend 2 rôtissoires et 3 fours-rôtissoires.
Les rôtissoires A55 et A66
ont une carrosserie en tôle d'acier émaillée,
ce qui les rend très robustes et d'un entretien facile ;
elles sont équipées d'une minuterie de 90 minutes,
d'une broche amovible et d'une porte en verre amovible,
qui peut aller au lave-vaisselle.
Le modèle A66 permet de cuire 2 poulets en même temps.
Le four-rôtissoire B24 est équipé d'un programmateur et d'un gril par contact.
Les fours-rôtissoires B111 et B112 sont légers et compacts
et munis d'un gril et d'un tourne-broche.
Tous ces appareils ont des revêtements intérieurs auto-nettoyants.

Rôtissoires A 55 et A 66

CADILLAC

Cadillac propose 3 rôtissoires, 2 rôtissoires-fours
et un « Duplex » four-rôtissoire.
Tous ces appareils sont en acier inoxydable avec parois
auto-nettoyantes, amovibles pour 4 d'entre eux.
Les trois Roto-Grills R 95, R 100 et RC 33 sont des rôtissoires,
mais elles ont en plus une résistance de sole
qui sert d'appoint en cas d'utilisation en four.
Les modèles R 100 et RC 33 sont équipées d'un programmateur
et d'un plat à grillades sur le dessus.
Le modèle R 95 présente un remarquable volume
intérieur pour un encombrement minimum.

Rôtissoires R 100 et RC 33

RECETTES

QUELS ALIMENTS PEUVENT GRILLER ?

TOUT CE QUI GRILLE... DOIT DORER !

La liste des aliments susceptibles d'être cuits avec succès au gril ou à la broche, dans la cuisine ou en plein air, est bien plus longue qu'on ne le croit généralement. Toutefois, pour bien dorer, un aliment doit posséder un certain nombre de caractéristiques.

Il doit notamment présenter une certaine teneur en protéines ou en sucres. Les protéines, sous l'action de la chaleur, coagulent et forment l'appétissante et indispensable croûte extérieure. C'est ce qui se passe lorsque l'on grille :
- les viandes, rouges ou blanches,
- les volailles,
- les abats : foie, rognons, ris de veau, cœur...
- certains produits de charcuterie : saucisses, andouillettes, boudin...
- la plupart des poissons,
- des crustacés,
- ... et même certains fromages, tels les « chèvres » genre chabichou, dont le goût rustique s'exalte après quelques minutes sur le gril à braise douce.

Quant au sucre contenu dans les fruits et dans certains légumes, il caramélise, jouant ainsi le même rôle que les protéines dans le cas précédent.

Quelques « légumes-à-griller » : tomates, poivrons, courgettes, aubergines, champignons, gros oignons, carottes, céleri-rave, maïs, endives...

Notons que certains légumes riches en amidon, comme les pommes de terre, grillent plutôt mal. On peut cependant cuire sur le gril ou sur la braise des pommes de terre dans leur peau ou enveloppées de papier alu. Les choisir alors assez grosses et farineuses.

Parmi les fruits : les pommes, les bananes et les ananas sont ceux qui grillent le plus délicieusement.

CORPS GRAS ET MARINADES.

PROTÉGER ET PARFUMER.

Le rôle du corps gras dans la grillade est d'abord d'empêcher qu'elle n'attache et ne brûle. Il en faut très peu et même, si l'on suit un régime et si l'on utilise un gril anti-adhésif, on peut à s'en passer.

Certains aliments déjà gras (porc, saucisses, sardines...) grillent sans graisse supplémentaire. En revanche, si le temps de cuisson est prolongé, au barbecue notamment, il est parfois nécessaire « d'arroser » de temps à autre pour éviter le dessèchement.

C'est pourquoi le corps gras choisi sera **fluide** et capable de supporter des températures élevées. L'huile d'arachide et surtout l'huile d'olive répondent à ces exigences.

Mais en plus de son rôle isolant et protecteur, l'huile peut contribuer à la saveur du mets...

AU « BAIN-MARINADE ».

Autre façon d'ajouter goût et parfum à vos grillades : les marinades.

Une marinade comprend, dans des proportions variables :

- un liquide acide (vinaigre, jus de citron ou de tomates...) ou un alcool (vin blanc ou rouge, cognac, armagnac, calvados...)
- des aromates divers (herbes, épices, moutarde...)
- un peu d'huile d'olive ou d'arachide.

Les pièces à griller demeureront au moins une demi-heure dans la marinade (pensez à les retourner si elles ne baignent pas complètement). Un séjour de plusieurs heures peut même attendrir la viande tout en la parfumant.

Il sera bien sûr inutile d'huiler les aliments au sortir de la marinade. Il faudra même les laisser bien s'égoutter, quitte à les arroser ensuite en cours de cuisson, toujours avec la marinade.

2 AIDES INDISPENSABLES.

Ce sont les huiles aromatisées. Composez-les vous-même à l'avance : elles transmettront leur saveur à tous les aliments que vous badigeonnerez avec ou ferez mariner dedans. Deux suffisent :

Huile pimentée : dans un joli flacon d'huile, glissez quelques petits piments rouges très forts, légèrement incisés afin qu'il communiquent plus généreusement leur « piquant ». Attendez quelques jours avant d'utiliser.

Huile aux aromates : ajoutez à l'huile un assortiment d'herbes odorantes sèches — thym, serpolet, sarriette, marjolaine, romarin, etc. Laissez infuser quelques jours.

L'huile d'olive a déjà par elle-même un goût fruité caractéristique. Mais si vous y faites macérer pendant quelques jours une ou plusieurs herbes, des aromates, du piment, ceux-ci communiqueront leur parfum à l'huile qui en imprégnera ensuite l'aliment. Vous pouvez ainsi vous constituer, dans de jolis flacons, une véritable « huilothèque » aux saveurs variées.

PRÉPARER
L'ALIMENT A GRILLER.

CISELER.

Certains aliments doivent cuire rapidement pour rester saignants ou garder toute leur saveur. Or ils sont parfois trop gros pour être posés tels quels sur le gril : steaks dans l'onglet, gros poissons, gros champignons.

Il faut alors en inciser la surface, en biais, avec un couteau bien aiguisé. La chaleur pénétrera la pièce à griller qui sera cuite comme vous l'aimez... et chaude à cœur. Attention, ce ciselage se fait sur l'aliment cru, **jamais en cours de cuisson.**

GRAISSER.

Si vous enduisez d'huile votre pièce à griller, servez-vous uniquement d'un pinceau : c'est le seul moyen d'en mettre juste ce qu'il faut, uniformément sur toute la surface.

Attention, c'est l'aliment qu'il faut huiler, jamais le gril.

Quand vous utilisez un gril à double face ou quand vous faites des brochettes, badigeonnez tout de suite les 2 côtés de l'aliment.

Avec un gril simple, huilez d'abord la face qui va être exposée à la chaleur, puis, juste avant de retourner, l'autre face.

PIQUER.

Saucisses, andouillettes et boudin contiennent une forte proportion de graisse. Les tomates, les pommes, renferment de l'eau.

A la chaleur, cette graisse et cette eau risquent de faire éclater la peau. Pour éviter cela, il suffit de la piquer légèrement à l'aide d'une fourchette, toujours **avant** de mettre à griller.

PARFUMEZ.

Pour cela, vous allez employer une huile aromatisée ou une marinade. Mais vous pouvez également parfumer la pièce à griller en la saupoudrant directement (après huilage pour que cela « tienne » mieux) d'herbes aromatiques fraîches ou sèches, émiéttées (jamais en poudre) : thym, estragon, sariette, marjolaine, etc. Les raffinés jettent aussi des herbes ou des brindilles de fenouil sur les braises, ou encore utilisent des bois aromatiques (cep de vigne, genévrier) ou des charbons de bois parfumés. En fin de cuisson, relevez le goût avec des épices : poivre moulu ou grossièrement écrasé, paprika, cannelle, cumin...

NE SALEZ QU'AU TOUT DERNIER MOMENT.

Surtout le viande rouge : un salage avant ou en cours de cuisson lui ferait perdre son sang... et une partie de son goût.

SURVEILLER
LA CUISSON.

ROUGE OU BLANCHE : SAISIE OU NON.

La cuisson dans une rôtissoire ne nécessite qu'un minimum d'attention, notamment si votre appareil a un thermostat et une minuterie ou un programmateur.

Le gril à double face, quant à lui, ne pose aucun problème de surveillance. Les viandes rouges doivent être bien saisies et vite cuites : donc préchauffez votre gril pendant le temps maximum indiqué par le constructeur ou au degré le plus élevé du thermostat. Les viandes blanches, elles, se mettent à gril moyennement chaud.

PAS DE FLAMME : INTERDIT DE FUMER.

Le barbecue, en revanche, exige davantage d'attention si l'on veut des résultats irréprochables, au gril comme à la broche.

Les principaux « incidents » à éviter sont les flammes et les fumées. Les unes calcinent, les autres noircissent. Et les unes commes les autres dénaturent les saveurs.

Il convient donc tout d'abord de préparer la braise suffisamment à l'avance pour qu'elle soit rougeoyante (mais non flamboyante) au moment voulu. La présence d'un fine pellicule de cendre blanche indique que la braise est « à point ».

Il faut aussi ajuster la distance entre braise et gril selon l'aliment : plus près pour les pièces minces, les viandes rouges, et les poissons à chair ferme, plus loin pour les grosses pièces, les viandes blanches, les poissons à chair tendre, les légumes et les fruits.

GRAISSE SUR BRAISE : AYEZ L'ŒIL !

La graisse, en fondant, tombe sur la braise. Elle risque, elle aussi, de provoquer des flammes indésirables et une fumée âcre.

Lorsqu'il s'agit de petites pièces, ce n'est pas bien grave : les flammèches ne durent pas ; il suffit d'avoir l'œil.

Pour les grosses pièces à la broche, le problème est différent, surtout si la viande est enrobée de graisse ou « persillée ».

C'est pourquoi, les seuls barbecues à broche réellement conçus pour cet usage sont ceux qui ont un foyer vertical ou pouvant basculer en position verticale, avec, au-dessous de la broche, une lèchefrite dans laquelle tombe la graisse fondue.

NE PIQUEZ PAS !

Ne retournez jamais un aliment sur le gril en le piquant avec une fourchette : utilisez une spatule ou une pince.

QUESTIONS
DE TEMPS.

Les temps de cuisson dépendent de tant de facteurs que seul un ordinateur réussirait (peut-être) à les déterminer à la seconde près pour chaque aliment.

A défaut d'ordinateur, voici quelques conseils et quelques chiffres utiles. Le reste est affaire d'expérience, d'observation et de bon sens.

SUR LE GRIL.

C'est surtout l'épaisseur qui compte : plus une pièce est mince, plus elle cuit vite. Évident.

A épaisseur égale les légumes sont plus longs à griller (15 à 20 minutes pour 1/2 à 1 cm d'épaisseur) que les fruits et les viandes blanches (8 à 10 minutes) ou que les poissons et les viandes rouges (2 à 3 minutes).

Pour les viandes rouges, le temps varie selon les goûts : 1 à 2 minutes par face pour un steak bleu, 3 ou 4 si on l'aime à point.
- Un gril à double face cuit 2 fois plus vite qu'un simple face puisqu'il cuit les 2 faces en même temps.
- Le temps de cuisson sur un gril de barbecue dépend de la chaleur de la braise, de la hauteur du gril, de la température de l'air... et de la vitesse du vent !

Après avoir retourné le steak, tâtez-le avec le dos d'une fourchette : s'il cède sous la pression, il est saignant. S'il résiste ou si de petites gouttes de sang perlent à la surface, il est à point.

> **Les recettes-gril** des pages qui suivent ont été réalisées avec des grils double face. Les temps doivent donc être approximativement doublés si l'on utilise un gril simple.

A LA BROCHE.

Pour les grosses pièces à cuire sur la broche d'une rôtissoire, les temps sont les mêmes que dans un four :
Bœuf : 15 min. par livre (moins si l'on aime saignant).
Mouton : 12 à 15 min. par livre.
Agneau : 15 à 20 min. par livre.
Poulet : 20 min. par livre.
Porc : 30 min. par livre.
La forme est également à prendre en considération : un rôti long et mince cuira plus vite qu'un morceau plus massif.

BROCHETTES

Lâchez les rênes à l'imagination ! Les brochettes c'est le domaine de l'invention, de l'improvisation, de l'inspiration...

Elles permettent tout d'abord de donner une présentation agréable à certains aliments qui, réduits aux dimensions imposées par le gril, n'auraient peut-être pas un aspect très séduisant : certains morceaux de viande par exemple, ou de gros poissons comme la lotte.

Mais surtout, les brochettes ouvrent largement le champ à la fantaisie ! Celle-ci s'exprimera en premier lieu par le choix des ingrédients (c'est fou tout ce que l'on peut « embrochetter » : viandes, poissons, mais aussi fruits de mer, légumes, fruits... et même fromages !)

Ensuite par les associations de saveurs, complémentaires ou contrastées. A vous les rapprochements inattendus : crevettes/carottes, langoustines/poulet, porc/abricot... ou traditionnels : rognons-lardons-champignons-oignons (ne dirait-on pas les rimes pour une chanson ?)

Enfin, votre fantaisie pourra vagabonder un peu partout dans le monde : en Orient avec les chiche kebab, en Espagne avec les brochettes Paella, jusqu'à la Hongrie parfumée de paprika, la Virginie à la senteur sucrée de jambon à l'ananas, la Martinique au charme pimenté...

Les brochettes peuvent se faire dans la rôtissoire, bien sûr (en réglant le gril au niveau le plus haut) ou sur un gril double face maintenu en position haute afin de ne pas risquer d'écraser les ingrédients délicats et de pouvoir tourner facilement les brochettes.

Mais c'est sans aucun doute le barbecue qui excite le plus la créativité. Vacances, week-end, plein air, soleil, joyeuse compagnie, tout incite à laisser libre cours au « génie » de chacun pour se composer soi-même ses brochettes, accompagnées, cela va de soi, par des sauces parfumées, pimentées, exotiques... l'aventure culinaire, quoi !

BROCHETTES DE CREVETTES ROSES

Raisonnable

 G

 B

POUR 8 BROCHETTES :
- 24 crevettes roses
- 1 ou 2 carottes
- laurier
- huile, citron
- sel, poivre

Faites mariner les crevettes pendant quelques instants dans un mélange : huile, jus de citron, feuilles de laurier écrasées, sel et poivre.

Embrochez successivement : rondelle de carotte **(1)**, crevette rose **(2)** et ainsi de suite, selon le schéma.

Grillez à chaleur assez vive, puis décorez de feuilles fraîches de laurier **(3)**.

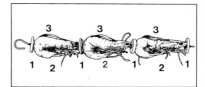

BROCHETTES DE FRUITS DE MER

Raisonnable

 G

 B

POUR 8 BROCHETTES :
- 32 moules
- 4 coquilles St-Jacques
- 8 bulots
- 2 citrons
- sel, poivre

Faites mariner dans le jus de citron, les noix de coquilles St-Jacques, coupées en deux dans l'épaisseur et les bulots. Salez et poivrez. Laissez ainsi pendant 1 heure.

Faites ouvrir les moules, dans une casserole, sur feu vif. Décoquillez-les aussitôt.

Embrochez successivement : zeste de citron **(1)**, moule **(2)**, demi-coquille St-Jacques **(3)** et bulot **(4)**, selon le schéma.

Grillez, à chaleur moyenne, en surveillant bien la cuisson.

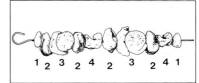

BROCHETTES DE COQUILLES ST-JACQUES

Cher

 G

 B

POUR 4 BROCHETTES :
- 20 noix (et corail) de coquilles St-Jacques, fraîches ou surgelées
- 12 fines lamelles de lard de poitrine fumé
- huile, citron
- sel, poivre

Faites mariner les coquilles St-Jacques nettoyées dans un mélange : huile, jus de citron, sel et poivre, pendant 1 heure environ.

Embrochez successivement : les noix de coquille St-Jacques, entourées, une sur deux, d'une fine lamelle de lard de poitrine fumé **(1 et 2)**, selon le schéma et la photo.

Grillez, à chaleur moyenne, quelques minutes seulement.

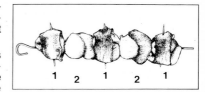

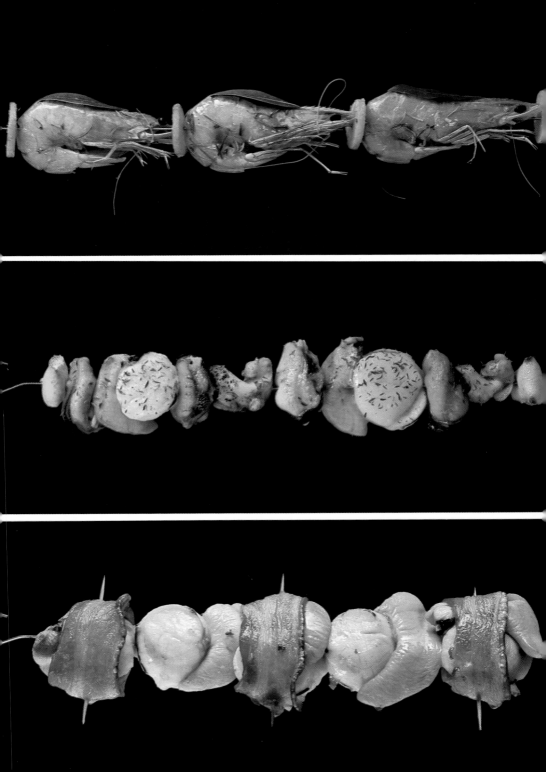

BROCHETTES DE GAMBAS

Raisonnable

 G

 B

POUR 8 BROCHETTES :
- 16 gambas
- 16 champignons de Paris
- 1 citron
- huile
- sel, poivre de Cayenne

Mélangez : huile, sel et poivre de Cayenne. Enduisez-en les gambas ainsi que les têtes des champignons de Paris (conservez les queues pour compléter une salade que vous pourrez servir en même temps).

Embrochez : tête de champignon (1), zeste de citron (2) et gamba (3), selon le schéma.

Grillez, à chaleur assez vive, en retournant les brochettes, à plusieurs reprises, au cours de la cuisson.

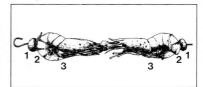

BROCHETTES D'ORMEAUX

Raisonnable

G

B

POUR 8 BROCHETTES :
- 24 ormeaux
- 16 tomates « cerise » (ou 2 grosses tomates)
- feuilles de laurier
- piments
- huile, citron
- sel

Décoquillez les ormeaux. Battez-les fortement pour les attendrir. Faites-les mariner dans un mélange : huile, jus de citron, piment haché et laurier écrasé.

Embrochez : tomate « cerise » (1) ou, à défaut, quartier de grosse tomate, ormeau (2), feuille (entière ou demi) de laurier (3) et morceau de piment (4), selon le schéma.

Grillez à chaleur moyenne. Badigeonnez de marinade en cours de cuisson.

BROCHETTES DE LANGOUSTINES

Raisonnable

G

B

POUR 8 BROCHETTES :
- 16 langoustines
- 8 piments de la Martinique
- huile pimentée (facultatif)
- sel

Embrochez : langoustine (1), piment rond de la Martinique (2) et langoustine (1), selon le schéma.

Grillez à chaleur moyenne. A mi-cuisson, badigeonnez d'huile pimentée (facultatif). Salez.

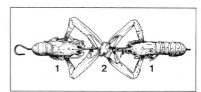

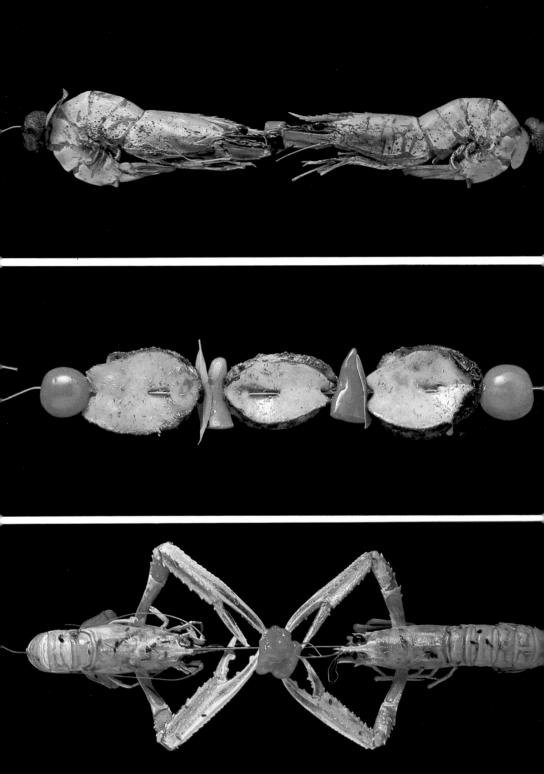

BROCHETTES DE MOULES

Bon marché

 G

 B

POUR 8 BROCHETTES :
- 56 moules
- 64 petits carrés de pain bis
- 4 gousses d'ail
- 80 g de beurre salé
- poivre

Décoquillez les moules, après les avoir fait ouvrir, sur feu vif, dans une grande casserole avec du poivre.

Aillez de grandes tranches de pain bis. Tartinez-les de beurre salé. Coupez-les en petits carrés.

Embrochez : pain frotté d'ail (1), moule (2) et ainsi de suite, selon le schéma.

Grillez rapidement, à chaleur assez vive.

BROCHETTES DE THON AU FENOUIL

Raisonnable

 G

 B

POUR 8 BROCHETTES :
- 2 tranches de thon frais
- 3 poivrons rouges
- tiges de fenouil frais
- huile, citron
- sel, poivre

Faites mariner le thon frais, coupé en petits cubes, dans un mélange : huile, jus de citron, tiges de fenouil frais hachées (3), sel et poivre.

Embrochez : morceau de poivron rouge (1) et thon (2), selon le schéma.

Grillez à chaleur moyenne, avec précautions.

BROCHETTES DE LOTTE AUX POIVRONS

Raisonnable

 G

 B

POUR 8 BROCHETTES :
- 48 petits cubes de lotte
- 2 poivrons verts
- 2 poivrons rouges
- huile, citron
- sel, poivre de Cayenne

Faites mariner les petits cubes de lotte dans un mélange : huile, jus de citron, sel et poivre de Cayenne.

Embrochez : morceau de poivron (1) et cube de lotte (2), selon le schéma, en alternant les poivrons verts et rouges.

Grillez à chaleur moyenne. Badigeonnez de marinade au besoin, pendant la cuisson.

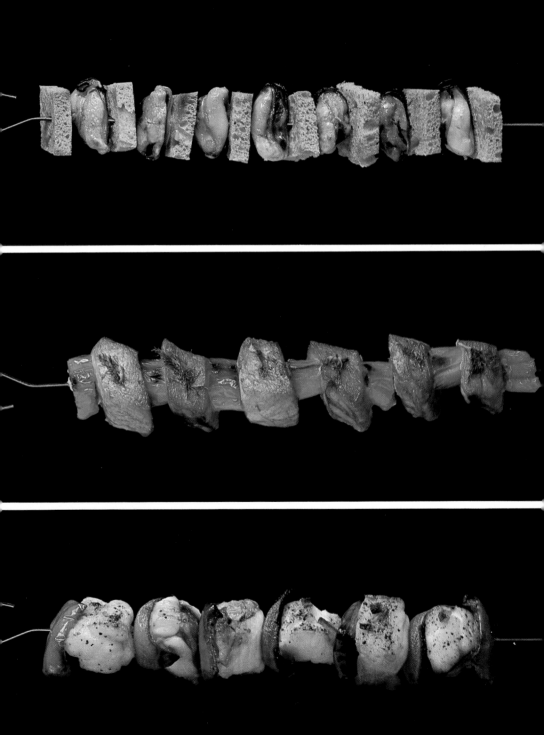

BROCHETTES DE POISSON PANÉ

Bon marché

 G

 B

POUR 8 BROCHETTES :
- 8 sticks de poisson pané surgelé
- 2 oignons doux
- 24 tomates « cerise » (ou 3 grosses tomates)
- huile, romarin
- sel, poivre

Embrochez : tomate « cerise » **(1)** ou, à défaut, quartier de grosse tomate, puis quartier d'oignon doux **(2)** et stick de poisson pané coupé en deux **(3)**, selon le schéma.

Badigeonnez les sticks de poisson pané, d'un mélange huile/feuilles de romarin, à l'aide d'un pinceau.

Grillez à chaleur moyenne, en remettant, au besoin, de l'huile au romarin, pendant la cuisson.

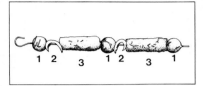

BROCHETTES DE CUISSES DE GRENOUILLES

Raisonnable

 G

 B

POUR 4 BROCHETTES :
- 20 paires de cuisses de grenouilles
- 2 gousses d'ail
- persil
- huile
- sel, poivre

Faites mariner les cuisses de grenouilles dans un mélange : huile, ail haché, persil très finement haché, sel et poivre.

Embrochez les cuisses de grenouilles **(1)**, en vous inspirant de la photo ci-contre.

Grillez à chaleur moyenne. Lorsqu'elles sont cuites, saupoudrez les brochettes de cuisses de grenouilles d'un hachis de persil frais.

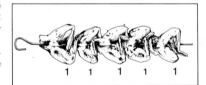

BROCHETTES « PAELLA »

Raisonnable

 G

 B

POUR 8 BROCHETTES :
- 8 langoustines
- 1 ou 2 poivrons
- 16 rondelles de chorizo
- 8 moules
- 1 reste de poulet
- huile, safran
- sel, poivre de Cayenne

Badigeonnez d'un mélange : huile, safran, sel et poivre de Cayenne, les moules, justes ouvertes sur feu vif et décoquillées ainsi que le reste de poulet cuit, coupé en 8 morceaux.

Embrochez : langoustine **(1)**, morceau de poivron **(2)**, rondelle de chorizo **(3)**, morceau de poulet **(4)** et moule **(5)**, en vous inspirant du schéma.

Grillez à chaleur moyenne.

Servez, de préférence, accompagné d'un riz au safran.

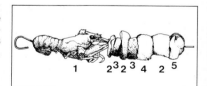

44

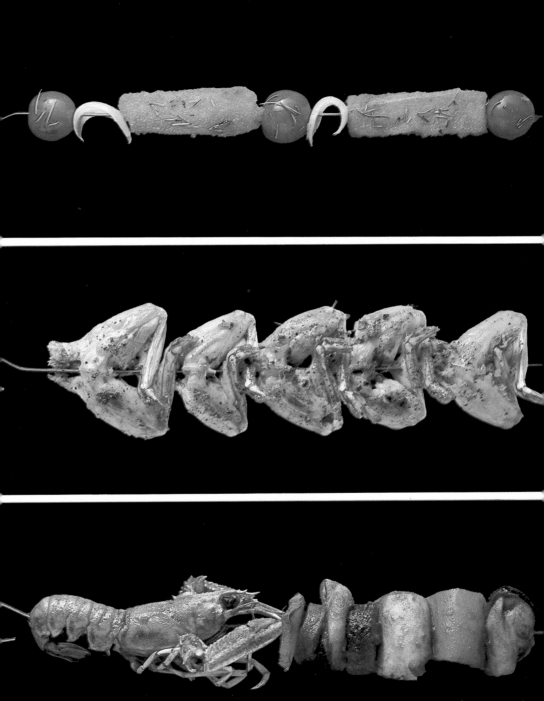

BROCHETTES « CHICHE-KEBAB »

Raisonnable

 G

 B

POUR 8 BROCHETTES :
- 56 cubes de viande de mouton (épaule)
- 3 poivrons
- 1/4 de litre de lait
- huile, origan
- sel, poivre

Faites mariner les petits cubes de viande dans un mélange : lait, un peu d'huile, sel, poivre et origan séché.

Embrochez alternativement : morceau de poivron **(1)** et cube de viande **(2)**, selon le schéma.

Grillez à chaleur assez vive, en badigeonnant les brochettes avec la marinade, pendant la cuisson.

BROCHETTES DE CÔTES D'AGNEAU A LA PROVENÇALE

Raisonnable

G

 B

POUR 4 BROCHETTES :
- 8 petites côtes d'agneau (dans le filet)
- 8 champignons de Paris
- 1 gros oignon rouge
- 8 tomates « cerise » (ou 1 grosse tomate)
- huile, herbes de Provence
- sel, poivre

Badigeonnez les petites côtes d'agneau d'un mélange : huile, herbes de Provence et poivre.

Embrochez : tomate « cerise » **(1)** ou, à défaut, quartier de tomate, champignon de Paris **(2)**, petite côte d'agneau **(3)** et quartier d'oignon **(4)**, selon le schéma.

Grillez à chaleur assez vive. Salez le mélange huile/herbes de Provence et enduisez-en les brochettes entières, à l'aide d'un pinceau, à plusieurs reprises pendant la cuisson.

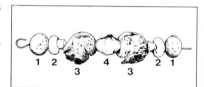

BROCHETTES DE ROGNONS D'AGNEAU

Raisonnable

 G

B

POUR 4 BROCHETTES :
- 12 rognons d'agneau
- 12 champignons de Paris
- 12 petits lardons
- 1 gros oignon
- 1 cuil. à café de cumin en poudre
- huile
- sel, poivre

Badigeonnez les rognons d'agneau (ouverts en deux et nettoyés) d'un mélange : huile, poudre de cumin, sel et poivre.

Embrochez : tête (conservez les queues) de champignons de Paris **(1)**, rognon d'agneau **(2)**, petit lardon **(3)** et quartier d'oignon, selon le schéma.

Grillez à chaleur assez vive, en enduisant les brochettes entières, du mélange huile/cumin, à plusieurs reprises.

Servez avec un riz pilaw, préalablement sauté au beurre avec oignons et queues de champignons coupés.

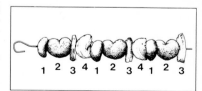

46

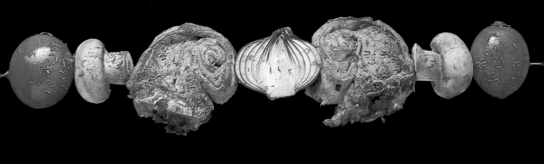

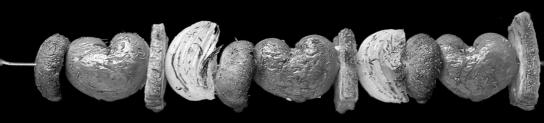

BROCHETTES DE ROGNONS « PAYSANNE »

Raisonnable

 G

 B

POUR 4 BROCHETTES :
- 8 rognons d'agneau
- 8 petites saucisses
- 12 petits lardons
- 8 choux de Bruxelles
- huile, thym
- sel, poivre

Badigeonnez les rognons d'agneau (ouverts en deux et nettoyés) d'un mélange : huile, thym effeuillé, sel et poivre.

Ébouillantez les choux de Bruxelles et laissez-les bouillir dans l'eau salée pendant 10 minutes environ. Égouttez-les.

Embrochez : lardon (**1**), rognon d'agneau (**2**), petite saucisse (**3**) et chou de Bruxelles (**4**), selon le schéma.

Grillez à chaleur moyenne, en enduisant les brochettes entières, du mélange huile/thym, à plusieurs reprises.

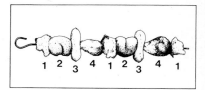

BROCHETTES DE BŒUF A LA HONGROISE

Raisonnable

 G

B

POUR 8 BROCHETTES :
- 600 g de viande de bœuf, coupée en 20 cubes
- 2 oignons doux
- huile, paprika
- sel, poivre

Faites mariner les cubes de viande de bœuf dans un mélange : huile, paprika, un peu d'oignon très finement haché et poivre.

Embrochez : quartier d'oignon (**1**) et cube de bœuf (**2**), selon le schéma.

Grillez à chaleur vive et assez rapidement, en badigeonnant les brochettes de marinade, en cours de cuisson. Salez à la fin.

BROCHETTES « COCKTAIL »

Raisonnable

 G

 B

POUR 8 BROCHETTES :
- 48 petites saucisses « cocktail »
- 40 pruneaux
- 20 fines lamelles de lard fumé

Dénoyautez les pruneaux. Entourez chacun d'une demi-lamelle de lard fumé.

Embrochez alternativement : saucisse « cocktail » (**1**) et pruneau au bacon (**2**), selon le schéma.

Grillez à chaleur plutôt vive et assez rapidement.

Servez très chaud, au moment de l'apéritif ou au cours d'un cocktail.

48

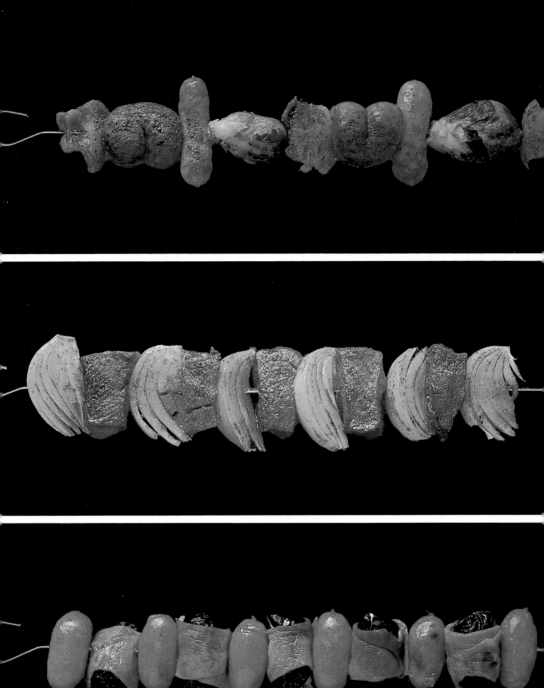

BROCHETTES DE BOUDIN BLANC AUX CHATAIGNES

Cher

 G

 B

POUR 8 BROCHETTES :
- **40 boudins blancs individuels (ou rondelles épaisses)**
- **32 châtaignes**
- **graisse d'oie ou beurre**
- **sel, poivre.**

Faites fondre un peu de graisse d'oie (ou, à défaut, de beurre) avec sel et poivre. Enduisez-en les châtaignes, préalablement cuites (grillées ou ébouillantées, ou encore, en conserve).

Embrochez alternativement : boudin blanc **(1)** et châtaigne **(2)**, selon le schéma.

Grillez à chaleur moyenne, mais rapidement, afin que les châtaignes ne se « défassent » pas. Par précaution, vous pouvez envelopper chaque brochette dans un morceau de crépine de porc, avant de les mettre à griller.

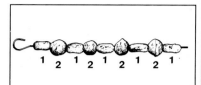

BROCHETTES DE BOUDIN NOIR AUX POMMES

Raisonnable

 G

B

POUR 8 BROCHETTES :
- **56 rondelles épaisses de boudin noir (ou petits boudins cocktail)**
- **5 grosses pommes**
- **cannelle (facultatif)**

Embrochez alternativement : quartier de pomme-fruit, non épluché **(1)** et boudin **(2)**, selon le schéma. Serrez bien.

Grillez à chaleur assez vive, en retournant à plusieurs reprises pendant la cuisson. Pour les amateurs, proposez de saupoudrer les brochettes avec de la cannelle.

BROCHETTES « HOT » INTERNATIONALES

Raisonnable

 G

B

POUR 8 BROCHETTES :
- **64 petites saucisses cocktail (ou tronçons de saucisses de Francfort)**
- **64 petits rectangles de gruyère, comté ou fromage de Hollande**
- **5 ou 6 grosses pommes**
- **huile, cumin (facultatif)**
- **poivre de Cayenne**

Embrochez successivement et en les serrant : saucisse de Francfort **(1)**, petit rectangle de fromage **(2)** et quartier de pomme-fruit **(3)**, selon le schéma.

Grillez à chaleur assez vive en surveillant attentivement la cuisson. Arrêtez celle-ci dès que le fromage commence à fondre.

Pour les amateurs, proposez un mélange huile/poudre de cumin/poivre de Cayenne, pour badigeonner les brochettes à l'aide d'un pinceau, à mi-cuisson.

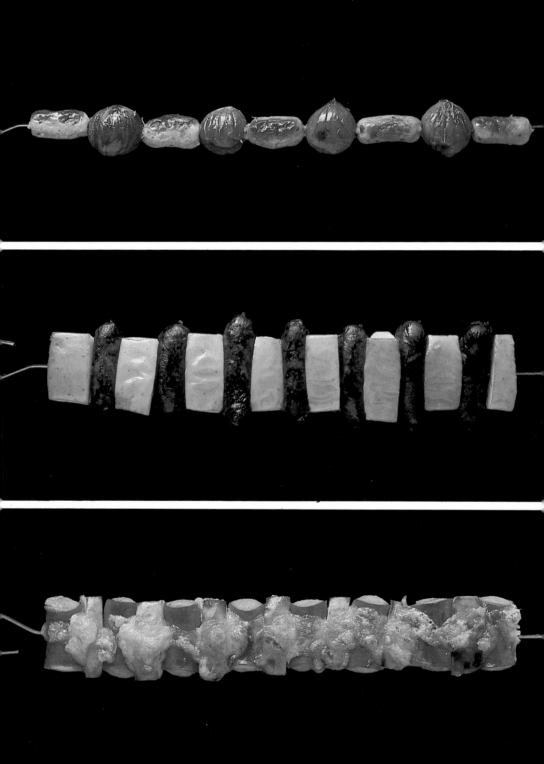

BROCHETTES « RUSTICA »

Raisonnable

 G

 B

POUR 8 BROCHETTES :
■ **32 petites saucisses chipolata**
■ **1 pied de céleri en branches**
■ **3 grosses pommes rouges**

Embrochez : morceau de céleri en branches **(1)**, petite saucisse chipolata **(2)** et quartier de pomme-fruit **(3)**, selon le schéma.

Grillez à chaleur moyenne. Arrêtez la cuisson lorsque les saucisses sont cuites. Si le céleri ne l'est pas complètement cela ne fait rien, l'association cru/cuit n'en sera que meilleure.

BROCHETTES DE PORC A L'ANANAS

Raisonnable

 G

 B

POUR 8 BROCHETTES :
■ **800 g environ d'échine de porc coupée en 40 morceaux assez minces**
■ **1 ananas frais**
■ **huile, tabasco**
■ **sel.**

Enduisez les morceaux de porc, d'huile additionnée de quelques gouttes de tabasco.

Embrochez successivement : morceau d'ananas frais **(1)** et morceau de porc **(2)**, selon le schéma.

Grillez à chaleur moyenne et assez longtemps jusqu'à ce que le porc soit bien cuit. Pendant la cuisson, enduisez les brochettes, à l'aide d'un pinceau, d'huile et tabasco mélangés.

BROCHETTES DE PORC AUX ABRICOTS

Raisonnable

 G

 B

POUR 8 BROCHETTES :
■ **800 g environ d'échine de porc, coupée en 40 morceaux assez minces**
■ **48 abricots secs de petite taille**
■ **40 petits lardons**
■ **huile aux piments (facultatif)**

Embrochez successivement : morceau de porc **(1)**, abricot sec **(2)** et petit lardon **(3)**, selon le schéma.

Grillez à chaleur moyenne et assez longtemps jusqu'à ce que le porc soit bien cuit.
En cours de cuisson, pour éviter le dessèchement, vous pouvez badigeonner les brochettes d'huile aux petits piments.

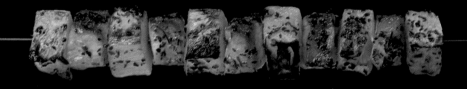

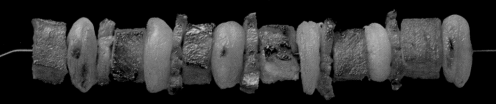

BROCHETTES DE JAMBON A LA VIRGINIE

Raisonnable

 G

B

POUR 8 BROCHETTES :
- 4 tranches très épaisses de jambon
- 1 ananas frais
- miel liquide
- 1 clou de girofle

Embrochez successivement : carré de jambon **(1)** et morceau d'ananas frais **(2)**, selon le schéma.

Grillez à chaleur moyenne. A mi-cuisson, enduisez chaque brochette, à l'aide d'un pinceau, d'un mélange de miel liquide, jus d'ananas frais (recueilli en coupant l'ananas écrasé. Mettez-en plusieurs couches et laissez cuire jusqu'à ce que les brochettes soient joliment caramélisées.

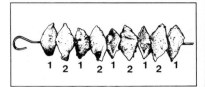

BROCHETTES DE FOIE DE VEAU AU RAISIN

Cher

 G

B

POUR 4 BROCHETTES :
- 4 tranches de foie de veau, coupées en 28 morceaux
- 32 grains de raisin frais
- cognac
- huile, poivre de Cayenne
- sel

Faites macérer, quelques instants, les raisins frais juste arrosés de cognac. Passez les morceaux de foie de veau dans de l'huile légèrement additionnée de sel et de poivre de Cayenne.

Embrochez successivement : raisin **(1)**, et foie de veau **(2)** , selon le schéma.

Grillez à chaleur assez vive, en retournant souvent pendant la cuisson.

BROCHETTES DE CŒURS DE VOLAILLE

Raisonnable

 G

 B

POUR 4 BROCHETTES :
- 12 cœurs de volaille
- 16 champignons de Paris
- 16 petits lardons
- 1 citron
- huile, coriandre en poudre
- sel, poivre

Faites mariner, quelques heures à l'avance, afin de les attendrir, les cœurs de volaille préalablement nettoyés, dans un mélange : huile, jus de citron, coriandre en poudre, sel et poivre.

Embrochez successivement : tête de champignon **(1)**, petit lardon **(2)** et cœur de volaille **(3)**, selon le schéma.

Grillez à chaleur moyenne, jusqu'à ce que les cœurs de volaille soient cuits. Pendant la cuisson, badigeonnez les brochettes, à plusieurs reprises, avec la marinade.

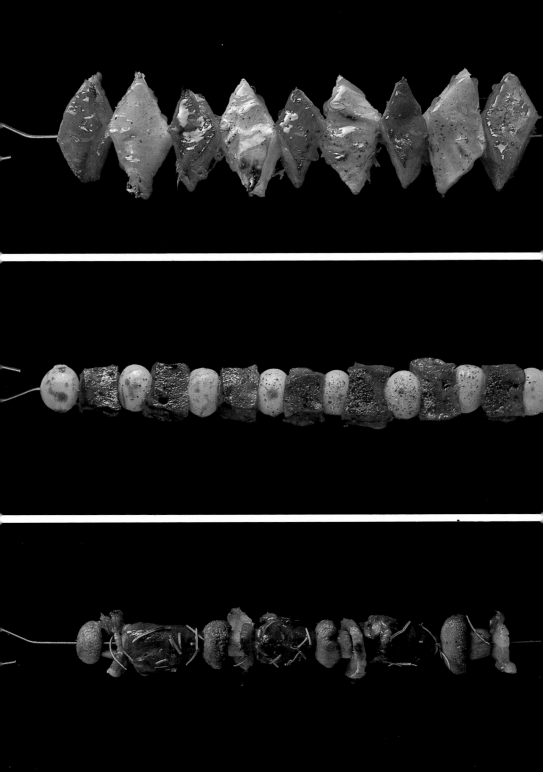

BROCHETTES DE CANARD A L'ORANGE

Raisonnable

 G

B

POUR 4 BROCHETTES :
- 1 belle aiguillette de canard, coupée en 20 lamelles
- 2 oranges
- 1 citron
- 2 clous de girofle
- sauce au soja
- miel liquide
- sel, poivre

Faites mariner les lamelles de canard dans un mélange : jus de citron, sauce au soja, clous de girofle écrasés, sel et poivre.

Embrochez successivement : lamelle de canard (1) et quartier d'orange (2), selon le schéma.

Grillez à chaleur moyenne. Au restant de la marinade, ajoutez un peu de miel liquide. Badigeonnez les brochettes avec ce mélange, en cours de cuisson, afin d'obtenir un joli glaçage.

BROCHETTES DE FROMAGES DE CHÈVRE AU RAISIN

Raisonnable

 G

B

POUR 4 BROCHETTES :
- 3 ou 4 fromages de chèvre (ou des « saint-marcellin »)
- 24 grains de raisin frais
- huile, poivre de Cayenne
- sel

Embrochez successivement : grain de raisin (1) et morceau de fromage de chèvre (ou, à défaut, de saint-marcellin) (2) selon le schéma.

Enduisez le fromage, avant de le mettre à griller, d'huile additionnée de poivre de Cayenne.

Grillez à chaleur plutôt vive, mais assez rapidement. Il suffit juste de chauffer les ingrédients et non de les cuire.

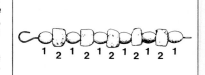

BROCHETTES DE FRUITS AU CARAMEL

Raisonnable

 G

B

POUR 8 BROCHETTES :
- 16 gros grains de raisin
- 2 grosses pommes
- 8 petits abricots (ou prunes)
- 1 ou 2 oranges
- 1 petit ananas frais
- caramel cristallisé

Embrochez gros grain de raisin (1), morceau de pomme (2), petit abricot ou prune (3), quartier d'orange (4) et morceau d'ananas (5), selon le schéma.

Grillez à chaleur moyenne. Dès que les brochettes de fruits sont chaudes, saupoudrez-les, une à une et hors du feu, de caramel cristallisé. Remettez sur le gril et servez tout doré.

Vous pouvez arroser de rhum flambant, au moment de servir.

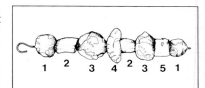

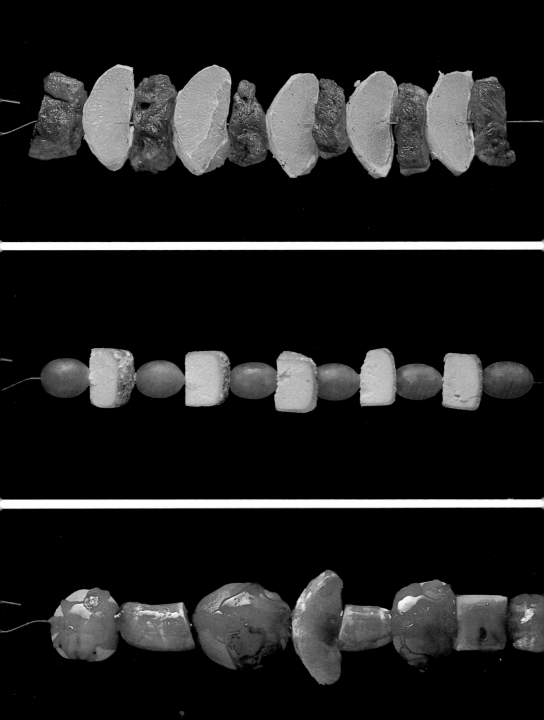

HAMBURGERS

Ils nous sont venus des États-Unis où un restaurateur astucieux avait eu l'idée de hacher les bas morceaux de bœuf (tout aussi savoureux que les pièces « nobles » quoiqu'un peu moins tendres) et de les servir sous forme de steaks : des steaks tartares en somme, mais cuits, et joliment présentés sur une moitié de petit pain tout rond. En plus, cela pouvait se manger vite, et l'on sait qu'aux U.S.A. plus qu'ailleurs « time is money. » Quant à nous, prenons un peu de temps pour, si j'ose dire, « civiliser » le hamburger.

D'abord le hamburger, c'est beaucoup plus que du bœuf haché. Et même, cela peut être tout autre chose que du bœuf !

Quand c'est du bœuf, on le mélange généralement avec un jaune d'œuf et diverses épices ou aromates : poivre, cayenne, muscade, câpres...

A partir de cette base, toutes les variantes sont possibles : avec un œuf « à cheval », du gruyère bien fondant, du lard fumé, des poivrons rouges, à la crème de foie, nappé de sauce au poivre vert flambée au cognac, etc.

Maintenant si vous remplacez le bœuf par autre chose, vous obtenez des « burgers » qui, dans la langue de Shakespeare, ou plutôt de Hemingway, ont par exemple nom de : « Vealburgers » si c'est du veau ; « Duckburgers » au canard (cf. Donald Duck !) et même Fishburgers » avec du poisson. En fait, le seul qui devrait s'appeler « Hamburger » c'est celui au jambon, puisque jambon se dit « ham ».

Le gril électrique à deux faces est l'instrument idéal pour cuire les hamburgers.

Vous pouvez aussi les faire au barbecue, c'est délicieux car ils prennent alors un goût de fumé très « western », mais cela demande une certaine dextérité. Si vous ne vous sentez pas sûre de vous, vous pouvez les faire en papillotes et griller les pains ronds à côté.

Dans les pages qui suivent, vous trouverez douze recettes, mais rien ne vous empêche d'en inventer d'autres...

HAMBURGERS EXPRESS MANHATTAN

Raisonnable

G

POUR 4 HAMBURGERS :
- 4 steaks hachés tout prêts
- 4 œufs
- 8 fines lamelles de lard de poitrine fumé
- 2 petits pains ronds
- 30 g de beurre
- huile
- tomato ketchup
- sel, poivre

Préparation et cuisson : 15 minutes.

Grillez très rapidement les lamelles de lard de poitrine fumé, sur le gril chaud. Retirez-les et, à la place, mettez les steaks hachés, juste badigeonnés d'huile. Laissez cuire de 2 à 3 minutes, suivant l'épaisseur et votre goût.

Cuisez les œufs sur le plat, dans le beurre chaud. Salez et poivrez. En fin de cuisson, salez et poivrez les steaks hachés. A leur place, toastez, dans le gril chaud, les petits pains ronds coupés en deux dans l'épaisseur.

Édifiez les hamburgers : demi-pain rond toasté **(1)**, steak grillé **(2)**, tomato ketchup **(3)**, 2 lamelles de lard de poitrine fumé grillées **(4)** et 1 œuf sur le plat **(5)**, selon le schéma.

Présentez sur feuilles de laitue. Apportez en même temps : tomato ketchup et moutarde forte.

Note générale concernant la cuisson des hamburgers sur barbecue (voir détails p. 59). Dans ce cas, ils seront cuits en papillote protégés dans une feuille de papier d'aluminium.

HAMBURGERS A LA SAXONNE

Raisonnable

G

POUR 4 HAMBURGERS :
- 600 g de steak haché
- 4 petits pains ronds
- 2 oignons
- 75 g de gruyère rapé
- 50 g de beurre
- huile
- noix de muscade
- sel, poivre

Préparation et cuisson : 20 minutes.

Dorez les rondelles d'oignons dans une poêle contenant 30 g de beurre chaud.

Préparez les hamburgers en mélangeant : steak haché, les 2/3 du gruyère râpé, un peu de noix de muscade râpée, sel et poivre. Divisez en quatre parts. Formez des boulettes. Applatissez-les et badigeonnez-les d'huile.

Grillez, dans le gril bien chaud, pendant 2 à 3 minutes. Ouvrez le gril. Salez, poivrez chaque hamburger. Parsemez d'une pincée de gruyère râpé et mettez une noisette de beurre. Refermez le gril, en position haute, juste le temps que le gruyère commence à fondre. Retirez les hamburgers ; à la place, toastez les pains ronds coupés en deux.

Édifiez les hamburgers : demi-pain rond toasté **(1)**, steak haché **(2)**, rondelles d'oignons **(3)** et demi-pain rond **(4)**.

Présentez sur feuilles de laitue. Accompagnez d'une salade de votre choix : céleri en branches à la sauce vinaigrette moutardée, par exemple.

HAMBURGERS « QUICK » A L'ÉCHALOTE

Raisonnable

 G

POUR 4 HAMBURGERS :
- 4 steaks hachés tout prêts
- 4 petits pains ronds
- 4 fines lamelles de gruyère
- 2 ou 3 échalotes
- 30 g de beurre
- vinaigre de vin, huile
- moutarde
- sel, poivre

Préparation et cuisson : 15 minutes.

Faites blondir doucement les échalotes hachées, dans une poêle contenant le beurre. En fin de cuisson, ajoutez un bon filet de vinaigre de vin. Arrêtez après l'ébullition.

Grillez les steaks hachés, préalablement enduits d'huile, dans le gril chaud, pendant 2 à 3 minutes. Salez et poivrez en fin de cuisson. A leur place, toastez les demi-pains ronds.

Édifiez les hamburgers : demi-pain rond toasté **(1)**, lamelle de gruyère **(2)**, moutarde forte **(3)**, steak haché **(4)**, échalotes cuites **(5)** et demi-pain rond **(6)**.

Accompagnez, par exemple, d'une salade frisée/sauce vinaigrette à l'échalote et croûtons grillés (aillés ou non).

6
5
4
3
2
1

HAMBURGERS A LA TARTARE

Raisonnable

 G

POUR 4 HAMBURGERS :
- 600 g de steak haché
- 4 petits pains ronds
- 2 jaunes d'œufs
- 1 oignon
- 2 cuillerées à soupe de câpres
- moutarde forte
- Worcestershire sauce
- huile, persil
- sel, poivre

Préparation et cuisson : 15 minutes.

Préparez les hamburgers en mélangeant : steak haché, jaunes d'œufs, oignon haché, câpres, moutarde forte, quelques gouttes de Worcestershire sauce, un filet d'huile, persil haché, sel et poivre.
Divisez en quatre parts. Formez des boulettes et applatissez-les. Huilez-les.

Grillez ces steaks « tartare » très rapidement dans le gril bien chaud. Ne faites pas vraiment cuire, mais simplement chauffer, grillez l'extérieur de la viande (à moins que vous n'aimiez pas la viande crue du steak tartare). Dès que vous les avez retirés du gril, toastez, à leur place, les petits pains ronds, coupés en deux.

Édifiez les hamburgers : demi-pain rond toasté **(1)**, steak tartare grillé **(2)**, persil haché **(3)** et demi-pain rond **(4)**.

Présentez sur feuilles de laitue et rondelles de tomate crue. Accompagnez éventuellement d'une salade de tomates saupoudrées de persil haché.

4
3
2

1

HAMBURGERS POJARSKI

Raisonnable

 G

POUR 4 HAMBURGERS :
- 500 g de viande de veau hachée
- 4 petits pains ronds
- 80 g de mie de pain
- 1/2 verre de lait
- 2 jaunes d'œufs
- 2 noix de beurre mou
- 1 citron
- huile, paprika
- 1 œuf entier
- farine, chapelure
- sel, poivre

Préparation et cuisson : 25 minutes.

Préparez les croquettes de veau Pojarski en mélangeant : veau haché, mie de pain trempée dans le lait et essorée, jaunes d'œufs, beurre mou, paprika, sel et poivre. Formez quatre boulettes et aplatissez-les.
Passez-les dans la panure, c'est-à-dire successivement dans la farine, l'œuf entier battu, puis la chapelure. Huilez.

Grillez dans le gril moyennement chaud, de 5 à 7 minutes. Retirez les croquettes du gril et aspergez-les de jus de citron. A leur place, toastez les petits pains ronds, coupés en deux.

Édifiez les hamburgers : demi-pain rond toasté **(1)**, croquette de veau Pojarski **(2)** et demi-pain rond **(3)**.

Accompagnez, par exemple, de concombres à la sauce crème fraîche/jus de citron/ciboulette. Pour les amateurs, apportez en même temps, sur la table, du raifort râpé (acheté tout préparé dans les magasins de produits russes ou dans tous les grands rayons d'alimentation).

HAMBURGERS PENSYLVANIA

Bon marché

 G

POUR 4 HAMBURGERS :
- 4 steaks tout prêts
- 4 petits pains ronds
- 2 poivrons rouges
- huile, paprika
- sel, poivre

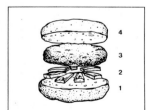

Préparation et cuisson : 15 minutes.

Grillez en premier les poivrons, nettoyés et coupés en deux. Si possible, retirez-en la peau.
A leur place, mettez dans le gril chaud, les steaks hachés, préalablement huilés et saupoudrés de paprika. Salez et poivrez en fin de cuisson.
Enfin, toastez les petits pains ronds, coupés en deux.

Édifiez les hamburgers : demi-pain rond toasté **(1)**, poivrons grillés **(2)**, steak haché **(3)** et demi-pain rond **(4)**.

Accompagnez, par exemple, de maïs en grains et de dés de poivrons à la vinaigrette bien relevée.

HAMBURGERS A LA CHINOISE

Cher

 G

POUR 4 HAMBURGERS :
- 300 g de canard cru haché
- 4 petits pains ronds
- 50 g de mie de pain
- 2 jaunes d'œufs
- quelques champignons chinois ou champignons noirs (séchés)
- 1 citron
- huile, sauce au soja
- xérès (facultatif)
- sel, poivre

Préparation et cuisson : 20 minutes + 2 h de marinade.

Faites mariner, pendant plusieurs heures, le canard haché dans un mélange : jus de citron, sauce soja, un peu de xérès (facultatif), un peu de sel et poivre.
Ajoutez-y ensuite : mie de pain écrasée, champignons réhydratés et coupés en morceaux, jaunes d'œufs. Formez 4 boulettes. Aplatissez-les et huilez-les.

Grillez, dans le gril moyennement chaud, de 5 à 7 minutes. A la place, toastez les petits pains ronds, coupés en deux.

Édifiez les hamburgers : demi-pain rond toasté **(1)**, croquette de canard **(2)** et demi-pain rond **(3)**.

Présentez, par exemple, une salade de germes de soja et champignons chinois. Apportez également, à table, la sauce au soja et la sauce aux piments.

Note : cette recette permet d'utiliser un reste de canard cru, lorsque l'on a préparé une terrine de canard, par exemple. Sinon, elle peut se réaliser avec d'autres viandes blanches.

HAMBURGERS ROCKFELLER

Cher

 G

POUR 4 HAMBURGERS :
- 600 g de steak haché
- 2 petits pains ronds
- 4 tranches rondes de crème de foie
- 1 jaune d'œuf
- 2 cuillerées à soupe de poivre vert
- 30 g de beurre
- 200 g de crème fraîche
- huile, cognac
- sel, poivre de Cayenne

Préparation et cuisson : 20 minutes.

Préparez les hamburgers en mélangeant le steak haché avec le jaune d'œuf et un peu de Cayenne. Faites-en 4 steaks. Huilez-les.

Grillez dans gril très chaud pendant 2 ou 3 minutes. A la place, toastez les petits pains ronds, coupés en deux.

Sauce au poivre vert : mettez dans une petite casserole le beurre et le poivre vert. Lorsqu'ils sont chauds, arrosez d'un peu de cognac et faites flamber. Ajoutez la crème fraîche et maintenez la cuisson pendant 2 minutes environ.

Édifiez les hamburgers : demi-pain rond toasté **(1)**, tranche de crème de foie **(2)**, steak haché **(3)** et recouvrez de sauce au poivre vert **(4)**.

Accompagnez ces fastueux hamburgers Rockfeller, de têtes de champignons, par exemple. Mettez-les à griller autour des steaks, puis des petits pains, en ayant eu soin, au préalable, de les saler, poivrer et d'y avoir déposé une noisette de beurre.

66

HAMBURGERS A LA VIRGINIE

Raisonnable

 G

POUR 6 HAMBURGERS :
- 3 tranches de jambon très épaisses et larges
- 1 petit ananas frais
- 3 petits pains ronds
- 1 clou de girofle
- huile, tabasco
- tomato ketchup (facultatif)

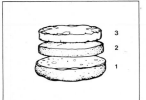

Préparation et cuisson : 20 minutes.

Taillez 2 belles rondelles de jambon dans chacune des tranches. Enduisez-les d'un mélange : huile, quelques gouttes de tabasco et clou de girofle écrasé. Évidez le centre de l'ananas frais et coupez-le en tranches épaisses également.

Grillez successivement et rapidement : le jambon, puis les demi-pains ronds et enfin les tranches d'ananas.

Édifiez les hamburgers : demi-pain rond toasté **(1)**, jambon **(2)** et ananas **(3)**.

Présentez-les, avec un peu de tomato ketchup (facultatif) sur le dessus et accompagnés éventuellement de cœurs de palmiers à la vinaigrette.

Note : Si vous remplacez l'ananas frais par des tranches d'ananas en boîte, ne les mettez pas sur le gril, mais réchauffez-les dans la poêle avec un peu de beurre.

HAMBURGERS A LA CHARCUTIÈRE

Bon marché

 G

POUR 4 HAMBURGERS :
- 4 saucisses plates (crépinettes)
- 4 petits pains ronds
- 2 oignons
- 50 g de beurre
- huile, moutarde forte
- sel, poivre

Préparation et cuisson : 20 minutes.

Dorez les rondelles d'oignons, à la poêle, dans le beurre chaud. Salez et poivrez.

Grillez, dans le gril moyennement chaud, les crépinettes préalablement enduites d'un mélange : huile et moutarde forte. Laissez cuire de 3 à 5 minutes, selon l'épaisseur. A la place, toastez les demi-pains ronds.

Édifiez les hamburgers : demi-pain rond toasté **(1)**, rondelles d'oignons dorées **(2)**, crépinette **(3)** et demi-pain rond toasté **(4)**.

Présentez avec cornichons, oignons blancs et moutarde.

FISHBURGERS A LA HAMBOURGEOISE

Bon marché

 G

POUR 4 FISHBURGERS :
- **4 sticks de poisson pané (surgelé)**
- **4 petits pains longs**
- **2 grosses tomates**
- **1 citron**
- **huile, persil**
- **sel, poivre**

Préparation et cuisson : 15 minutes.

Grillez les sticks de poisson pané, préalablement coupés en deux dans la longueur et badigeonnés d'huile salée et poivrée. Laissez cuire, de 3 à 5 minutes, dans le gril moyennement chaud. A leur place, toastez les demi-pains longs.

Édifiez les hamburgers : demi-pain long toasté **(1)**, rondelles de tomates saupoudrées de persil haché **(2)**, poisson pané grillé arrosé de jus de citron **(3)** et demi-pain long toasté **(4)**.

Accompagnez d'une salade verte ou de tomates, ou des deux mélangées.

FISHBURGERS A LA NIMOISE

Raisonnable

 G

POUR 4 FISHBURGERS :
- **300 g de brandade de morue nîmoise**
- **4 petits pains ronds**
- **2 gousses d'ail**
- **huile d'olive**
- **poivre de Cayenne**

Préparation et cuisson : 15 minutes.

Grillez les demi-pains ronds après les avoir frottés d'ail et imbibés légèrement d'huile d'olive aux piments, ou additionnée de poivre de Cayenne.

Réchauffez la brandade, dans une poêle, avec un peu d'huile d'olive.

Édifiez les hamburgers : demi-pain rond toasté **(1)**, brandade de morue chaude **(2)** et demi-pain rond toasté **(3)**.

Présentez, en même temps, des tomates à la provençale (voir recette p. 294).

POISSONS. COQUILLAGES. CRUSTACÉS.

On dit souvent : « C'est la sauce qui fait le poisson ». Eh bien on a tort. En grande partie du moins. Chaque poisson a non seulement son goût bien à lui, mais aussi sa consistance, son « toucher ». Les yeux fermés, qui confondrait la franche fermeté d'une darne de saumon avec la tendre finesse du rouget dont la chair s'effeuille en fragiles pétales ?
Ces délectables qualités, nul mode de cuisson ne les préserve mieux que la grillade. Tous les poissons se grillent. Et Dieu sait si nos mers, nos lacs et nos rivières nous en offrent une presque infinie variété. Sans oublier les coquillages et les crustacés.
Selon les espèces, vous les ferez cuire au barbecue, sur le gril électrique ou dans la rôtissoire. Pour chaque recette, vous aurez le choix entre la grillade toute simple et les accommodements ou accompagnements qui vous sont suggérés. Car les sauces, si elles ne « font » pas le poisson, le mettent en valeur et varient encore les plaisirs.

La Fête des Pêcheurs.

Mais le summum du plaisir, pour l'amateur de poisson, c'est de le déguster « sitôt pêché sitôt grillé », surtout au moment des vacances. Alors, quand « vos » pêcheurs rentrent, pourquoi ne pas célébrer leur pêche plus au moins miraculeuse par une joyeuse fête ?
Le barbecue est prêt ? Votre livre de recettes est ouvert au chapitre « Poissons, crustacés, coquillages » ? Les invités peuvent arriver...
Prévoyez un assortiment de légumes d'été : tomates, poivrons, aubergines, que vous ferez griller aussi ; des fruits, toujours décoratifs et rafraîchissants à croquer en fin de soirée ; pain de campagne et de seigle, beurre salé, condiments et sauces toutes prêtes. Le tout accompagné de vin blanc ou rosé qui servira d'apéritif et s'alliera fort bien aux fromages fermiers.
Décor : la mer et le soleil couchant. Ambiance sonore : des chansons de marins sur fond de vagues murmurantes et cris de mouettes...

CHERMOULA DE POISSONS GRILLÉS AU GRIL

Cette recette africaine de poissons marinés, avant d'être grillés, convient très bien aux espèces à chair ferme comme le mulet, la dorade, le maquereau, etc. La chermoula est une marinade bien relevée, dont les saveurs épicées et ensoleillées du piment, du cumin arabe, de l'ail et de la coriandre, s'harmonisent joliment, pour la plus grande joie de nos soirées gourmandes de l'été !

Raisonnable

 G

 B

**PRÉPARATION
ET CUISSON : 25 mn
+ 1 h de marinade**

POUR 4 PERSONNES :

■ **4 poissons moyens ou 2 poissons plus gros, à chair ferme**
■ **1 citron**

CHERMOULA :

■ **1 verre d'huile**
■ **1 verre d'eau**
■ **1 citron**
■ **1 cuil. à soupe de poudre de piment doux**
■ **1 cuil. à café de poudre de piment fort**
■ **1 cuil. à café de poudre de cumin arabe**
■ **3 gousses d'ail**
■ **coriandre fraîche ou en grains**
■ **sel**

1. Faites mariner les poissons dans la chermoula comprenant tous les éléments cités ci-contre. A défaut de coriandre fraîche hachée, remplacez par quelques grains de coriandre écrasés ou moulus. Faites auparavant quelques entailles sur les poissons afin que la marinade pénètre mieux les chairs et laissez ainsi pendant une heure environ.

2. Grillez les poissons au-dessus des braises bien chaudes du barbecue. Badigeonnez de temps en temps avec le reste de marinade. Retournez à mi-cuisson.

3. Servez les poissons tout chauds, au sortir du barbecue, simplement accompagnés de quartiers de citron.

DARNES DE SAUMON GRILLÉES « MAÎTRE D'HÔTEL »

AU GRIL

Le saumon, rose, frais, à la chair d'une qualité incomparable, est un royal cadeau de la mer qui doit être traité, lorsqu'il paraît sur une table, de la meilleure façon qui soit, c'est-à-dire sobrement, afin de lui conserver toute sa finesse naturelle.

Assez cher

G

B

**PRÉPARATION
ET CUISSON : 20 mn**

POUR 4 PERSONNES :

- 4 darnes de saumon frais de 2 cm d'épaisseur environ, chacune
- 30 g de beurre
- 1/2 citron
- sel, poivre

**BEURRE MAÎTRE
D'HÔTEL :**

- 50 g de beurre
- 1/2 citron
- persil
- sel, poivre

1. Préparez le beurre Maître d'Hôtel en malaxant : beurre, jus de citron, persil haché, sel, et poivre. Roulez-le dans un papier d'aluminium et mettez-le au réfrigérateur.

2. Enduisez les darnes de saumon avec du beurre fondu mélangé de jus de citron, de sel et de poivre.

3. Grillez les darnes de saumon dans le gril moyennement chaud, pendant 4 minutes environ.

4. Présentez les darnes de saumon, surmontées d'une rondelle de beurre maître d'hôtel. Décorez de tranches de citron et apportez, sur la table, du beurre frais.

GAMBAS GRILLÉES SAUCE ROUGE AU GRIL

L'origine espagnole de gamba indique que ce petit crustacé se pêche plus facilement sur les côtes méditerranéennes que sur les côtes bretonnes. Accommodez donc les gambas d'une sauce un peu relevée. Et sachez aussi, qu'en toutes saisons, vous trouverez d'excellentes gambas surgelées.

Assez cher

 G

B

PRÉPARATION ET CUISSON : 35 mn

POUR 4 PERSONNES :

- 16 à 28 gambas (selon la grosseur)
- huile
- thym, laurier
- sel, poivre

SAUCE ROUGE :

- 4 tomates
- 2 gousses d'ail
- 3 cuil. à soupe d'huile d'olive
- 3 cuil. à café d'harissa
- 1 citron
- persil
- sel

1. Badigeonnez les gambas d'un mélange : huile, thym effeuillé, morceaux de feuilles de laurier, sel, poivre.

2. Préparez la sauce rouge : mettez dans une casserole les tomates épluchées et l'ail très finement haché, l'huile, l'harissa, le jus de citron, 2 cuillerées à soupe d'eau et du sel. Laissez cuire sur feu doux une quizaine de minutes.

3. Grillez les gambas sur le barbecue, dont les braises sont très rouges. Surveillez la cuisson. Retournez-les à plusieurs reprises.

4. Présentez les gambas grillées et chaudes en même temps que la sauce, servie en saucière.

GIGOT DE LOTTE MÉDITERRANÉE A LA BROCHE

La chair blanche et ferme de la lotte prend à la fois du moelleux et une certaine saveur au contact du lard de poitrine fumée. Essayez cette association et cuisez une queue de lotte, ainsi bardée, à la façon d'un petit gigot... de mer !

Raisonnable

 R

 B

**PRÉPARATION
ET CUISSON : 40 mn**

POUR 4 PERSONNES :

■ 1 queue de lotte de 800 g à 900 g.
■ 4 fines tranches de lard de poitrine fumée
■ 2 gousses d'ail
■ huile aux aromates de Provence
■ sel, poivre

1. Piquez le gigot de lotte de quelques éclats d'ail. Salez et poivrez-le. Entourez-le de tranches de lard que vous maintiendrez à l'aide d'une ficelle. Badigeonnez-le d'huile aux aromates.

2. Embrochez le gigot de lotte, bien centré, et faites-le cuire dans le four (th. 7/8) pendant une vingtaine de minutes.

3. Présentez la lotte, sans retirer le lard qui l'entoure, sur un plat de service chaud.

4. Accompagnez, éventuellement, de tomates grillées ou à la provençale, de poivrons ou de tout autre légume grillé.

HADDOCK GRILLÉ A L'ANETH

Le haddock, c'est de l'aiglefin fumé dans la tradition des mers du Nord. Il est haut en couleurs mais, à l'intérieur, tout blanc et succulent. Pour adoucir son goût fumé, on peut le faire mariner dans du lait, avant de le cuire ou, plus simplement, comme dans cette recette, le servir avec de la crème toute fraîche... Et si vous voulez vous évader davantage vers les espaces nordiques, aromatisez la crème fraîche à l'aneth et buvez en même temps de l'aquavit ou, encore, de la vodka !

Raisonnable

 G

**PRÉPARATION
ET CUISSON : 15 mn**

POUR 4 PERSONNES :

■ 1 filet de haddock (ou de poisson fumé) de 1 kg, bien épais de préférence
■ 1 pot de 250 g de crème fraîche
■ 1 citron
■ 2 branches d'aneth ou de fenouil frais
■ huile
■ sel, poivre

1. Grillez le haddock, préalablement badigeonné d'huile (pas de sel), sur le gril moyennement chaud, de 4 à 7 minutes, selon l'épaisseur.

2. Aromatisez la crème fraîche avec de l'aneth finement haché, le jus d'un citron, un peu de sel et de poivre.

3. Présentez, en même temps, le haddock grillé tout chaud et la crème bien fraîche.

4. Accompagnez de pommes de terre vapeur.

HOMARDS GRILLÉS FLAMBÉS

AU GRIL

Pas d'artifices culinaires pour le homard, surtout s'il vient d'être fraîchement pêché et que vous ayez la possibilité de le griller sur un barbecue. Faites-le flamber, tout au plus, au moment de le servir. Cela ne fera que renforcer le côté « fête » qui est toujours lié à l'apparition du homard sur nos tables !

Cher

 B

PRÉPARATION ET CUISSON : 40 mn

POUR 4 PERSONNES :

- 2 homards moyens
- 80 g de beurre salé
- 2 petits verres de cognac
- poivre blanc

1. Plongez les homards dans de l'eau bouillante salée. Dès qu'ils ne bougent plus, retirez-les et fendez-les en deux moitiés, sur une planche, à l'aide d'un grand couteau.

2. Grillez les demi-homards sur le barbecue, en mettant, en premier, les faces coupées exposées à la chaleur. Au bout de 10 minutes environ, retournez-les. Disposez alors, sur la chair grillée, quelques noisettes de beurre salé. Poivrez et laissez ainsi sur le barbecue, une quinzaine de minutes.

3. Présentez les demi-homards grillés sur un plat de service chaud. Arrosez-les de cognac, que vous aurez fait bouillir et que vous aurez enflammé dans une petite casserole. Apportez à table, tout flambants.

LANGOUSTINES « GRIL-PILI »

Filfil, pili-pili... peu importe la latitude ; sous le soleil tropical, le piment doux ou fort, prend une consonnance doublée comme pour nous avertir que, sous son aspect bon enfant et familier, il peut être piquant et féroce, si l'on n'y prend garde ! Si l'on en a conscience, plus de crainte. Et l'huile aux piments devient la fantaisie de nombreux aliments grillés au barbecue, les langoustines notamment.

Assez cher

 G

 B

**PRÉPARATION
ET CUISSON : 30 mn**

POUR 4 PERSONNES :

- de 16 à 28 langoustines (selon leur grosseur)
- 1 bol d'huile aux piments
- 1 gousse d'ail (facultatif)
- 2 citrons
- sel

1. Arrosez les langoustines crues d'un mélange : huile aux piments (prête à l'avance de préférence), ail pilé (facultatif), jus de citron et sel. Recouvrez-en les langoustines déposées dans une terrine et remuez-les. Afin que la marinade pénètre mieux, passez un couteau pointu, à la limite de la carapace, tout le long du ventre.

2. Grillez les langoustines bien égouttées sur le barbecue, dont les braises sont vives. Surveillez la cuisson. Retournez-les à plusieurs reprises.

3. Présentez les langoustines grillées, toutes chaudes, au sortir du barbecue. Apportez en même temps, à table, du beurre salé bien frais et des sauces toutes prêtes de votre choix.

LANGOUSTE GRILLÉE
A LA POINTE D'HERBES

Comme le homard, la langouste grillée se suffit à elle-même. Servez-la simplement accompagnée d'un beurre ou d'une crème aux herbes fines.

Cher

 B

**PRÉPARATION
ET CUISSON : 30 mn**

POUR 4 PERSONNES :

- 1 grosse langouste ou 2 moyennes
- 150 g de beurre ou de crème fraîche
- 1 citron
- fines herbes (ciboulette, estragon, cerfeuil)
- sel, poivre de Cayenne

1. Plongez la langouste dans de l'eau bouillante salée. Dès qu'elle ne bouge plus, retirez-la et fendez-la en deux moitiés, sur une planche, à l'aide d'un grand couteau.

2. Grillez les demi-langoustes sur le barbecue, en mettant, en premier, la face coupée exposée à la chaleur. Laissez ainsi une dizaine de minutes.

3. Préparez un beurre ou une crème aux herbes, en mélangeant ensemble : le beurre ou la crème fraîche, le jus de citron, les fines herbes finement hachées, le sel et le poivre de Cayenne.

4. Retournez les demi-langoustes sur le barbecue. Déposez un peu de beurre ou de crème aux herbes dessus et laissez cuire ainsi encore dix minutes.

5. Présentez les demi-langoustes grillées sur un plat de service chaud et, à part, le reste de beurre ou de crème aux fines herbes.

LOUP GRILLÉ AU FENOUIL

En Méditerranée, on le nomme « loup », en Atlantique, il devient « bar », dans le monde entier, sa réputation est incontestée et incontestable ! La cuisson au gril semble accentuer la saveur et la finesse de sa chair blanche et, si l'on ajoute au dernier moment sur les braises, quelques branches sèches de fenouil, il devient vraiment le roi des poissons grillés.

Cher

 B

**PRÉPARATION
ET CUISSON : 40 mn**

**POUR 4 OU 6
PERSONNES :**

- 1 loup de 3 à 4 livres
- huile d'olive
- quelques branches
sèches de fenouil
- un peu de pastis
(facultatif)
- sel, poivre

1. Badigeonnez d'huile le loup, préalablement vidé, lavé, épongé, ciselé, salé et poivré.

2. Grillez le loup au-dessus des braises bien chaudes mais pas trop vives car il cuira assez longuement, pendant 10 à 15 minutes sur chaque face. En fin de cuisson, jetez sur les braises, les branches sèches de fenouil et laissez le poisson s'imprégner des fumées odorantes, pendant quelques minutes encore. Retournez à nouveau.

3. Présentez le loup grillé sur un long plat de service, chaud. Certains l'enflamment à table, en l'arrosant de pastis bouillant et flambant, c'est selon votre goût. Servez avec quartiers de citron et beurre frais ou encore, avec une saucière de beurre fondu ou de beurre blanc.

MAQUEREAUX GRILLÉS

Poissons gras, par excellence, les maquereaux n'ont pas besoin de matière grasse pour cuire. Toutefois, en les badigeonnant très légèrement d'huile à l'aide d'un pinceau, ils auront meilleur aspect en sortant du gril et se détacheront de celui-ci plus facilement. A vous de choisir !

Bon marché

 G

 B

**PRÉPARATION
ET CUISSON : 25 mn**

POUR 4 PERSONNES :

■ **4 maquereaux moyens
ou 8 petits**
■ **huile (facultatif)**
■ **sel, poivre**

1. Grillez les maquereaux, après les avoir vidés, lavés, épongés, incisés à plusieurs endroits pour faciliter la cuisson en profondeur, salés, poivrés et badigeonnés éventuellement d'huile, en les déposant sur le gril chaud du barbecue. Retournez-les à mi-cuisson.

2. Présentez les maquereaux grillés tout chauds, au sortir du barbecue. Accompagnez-les simplement de beurre, citron et moutarde ou encore d'une bonne salade de pommes de terre persillées, accommodées d'une vinaigrette à l'échalote bien relevée. A la saison, vous pouvez vous amuser à servir en même temps des groseilles à maquereaux. L'association est heureuse.

MOULES AU NATUREL, GRILLÉES

Choisissez de grosses moules, pour cette sympathique cuisson au barbecue, car les moules de petite taille passeraient au travers de la grille. Et n'oubliez pas de jeter sur les braises chaudes, au moment de faire ouvrir les moules, une poignée d'herbes sèches (thym, serpolet, romarin, etc.) c'est tout. Aucune recette n'est vraiment plus simple, plus naturelle, plus rapide, plus originale, plus odorante, plus joyeuse et plus savoureuse, tout à la fois !

Bon marché

 B

**PRÉPARATION
ET CUISSON : 15 mn**

POUR 4 PERSONNES :

■ **1 cinquantaine de
grosses moules**
■ **1 grosse poignée
d'herbes sèches (thym,
serpolet, romarin, etc.)**

1. Grattez et lavez les moules très soigneusement. Disposez-les sur la grille du barbecue, hors du feu.

2. Jetez les herbes odorantes sur les braises du barbecue. Posez au-dessus, la grille sur laquelle sont disposées les moules. Lorsque celles-ci sont toutes ouvertes, laissez-les encore une minute, puis retirez-les et servez-les aussitôt.

3. Apportez à table, en même temps, de fines tranches de pain de seigle et du beurre frais ou, mieux encore, du beurre salé malaxé avec de l'ail finement haché. Chacun pourra en tartiner ses tranches de pain de seigle et même aller les faire griller rapidement sur le barbecue encore chaud.

POISSON BARBECUE A LA SAUCE CHIEN AU GRIL

C'est une recette antillaise, très courante là-bas, pour accommoder les poissons grillés au feu de bois. Les mulets, les dorades, etc., sont souvent apprêtés ainsi, bien que les dorades des mers d'Europe soient très différentes de celles des mers tropicales ; certaines atteignant jusqu'à deux mètres cinquante. Mais, en ce domaine, il y aurait beaucoup à dire puisqu'il y a, paraît-il, plus de deux cents espèces de dorades, par le monde !

Raisonnable

 B

PRÉPARATION ET CUISSON : 30 mn
+1 h de marinade

POUR 4 PERSONNES :

■ 1 dorade ou un mulet de 1 kg 500 environ
■ 2 cuil. à soupe d'huile

MARINADE :

■ 2 citrons verts
■ 2 gousses d'ail
■ 1 piment rond de la Martinique
■ sel

SAUCE CHIEN :

■ 2 citrons verts
■ 2 échalotes
■ 3 ou 4 oignons moyens
■ 1 piment rond
■ 2 cuil. à soupe d'huile
■ persil
■ sel
■ 1 verre d'eau

1. Faites mariner le poisson pendant 1 heure environ dans un mélange : jus de citrons verts, ail haché, piment pilé, sel et un peu d'eau.

2. Grillez le poisson mariné, au-dessus des braises bien chaudes du barbecue. Ajoutez l'huile au reste de marinade et badigeonnez-en le poisson en cours de cuisson. Retournez pour cuire et griller sur les deux faces.

3. Préparez la sauce chien en mélangeant simplement : jus des citrons verts, échalotes et oignons crus hachés, piment écrasé (que vous retirerez au moment de servir), huile, persil haché, sel et un verre d'eau très bouillante. Pour une sauce chien améliorée, on peut ajouter un œuf dur écrasé et quelques câpres.

4. Présentez le poisson grillé, tout chaud, au sortir du barbecue, avec la sauce chien, à part.

RÔTI DE LOTTE A L'AIOLI

L'aïoli accompagne traditionnellement la morue. Tout autour, des légumes aux couleurs variées lui font la fête et, pour rendre ce plat plus riche, plus complet, on y adjoint souvent des bigorneaux et des œufs mollets. Ici la surprise sera plus spectaculaire encore si vous remplacez la morue par un rôti de lotte. C'est une bonne idée pour un soir de vacances ou pour en recréer l'atmosphère !

Raisonnable

 R

B

PRÉPARATION ET CUISSON : 1 h

POUR 6 PERSONNES :

■ **1 morceau de lotte de 1 kg 200 environ, bardé comme un rôti de viande**
■ **huile aux piments**
■ **sel, poivre**

Sauce aïoli : voir p. 304

1. Embrochez le rôti de lotte, préalablement salé, poivré et enduit d'huile aux piments. Faites-le cuire dans le four (th. 7/8), en badigeonnant, à plusieurs reprises, d'huile aux piments, pendant une trentaine de minutes environ.

2. Préparez l'accompagnement de légumes : carottes, pommes de terre, haricots verts, cœurs d'artichauts, bouquets de chou-fleur, tronçons de courgettes, etc., frais, en boîtes ou surgelés, simplement cuits à l'eau salée ou réchauffés séparément.

3. Faites l'aïoli en suivant la recette de la p. 304. Prévoyez-en suffisamment afin que chaque convive puisse s'en servir et s'en resservir à sa guise.

4. Présentez le rôti de lotte, débarrassé de sa barde, sur un grand plat de service chaud, entouré de tous les légumes disposés harmonieusement. Servez l'aïoli, à part, dans un mortier ou une coupelle.

ROUGETS GRILLÉS A LA NIÇOISE

Le rouget barbet, d'un orangé brillant et chatoyant, à la chair fine, blanche et délicate, a tous les attraits des pays de soleil et de vacances. Il semble fait pour les joies du barbecue, surtout si, tout frais pêché, il est encore tendu et ferme. Sinon, il est préférable de protéger sa chair fragile d'une papillote, que l'on ouvrira pendant les dernières minutes de cuisson afin que le rouget s'imprègne quand même des bonnes odeurs du feu.

Assez cher

 G

 B

**PRÉPARATION
ET CUISSON : 25 mn**

POUR 4 PERSONNES :

- **4 beaux rougets barbets ou 8 moyens**
- **1 poignée d'herbes de Provence**
- **100 g de beurre**
- **1/2 tube de crème d'anchois**
- **tabasco**
- **huile d'olive**
- **citrons**
- **sel, poivre**

1. Préparez un beurre d'anchois en malaxant le beurre mou avec la crème d'anchois et une goutte de tabasco. Roulez cette préparation dans un papier d'aluminium et mettez-la au réfrigérateur.

2. Enduisez d'huile d'olive les rougets barbets, préalablement salés et poivrés. Ne les videz pas s'ils sont tout frais pêchés, sinon videz-les, mais remettez le foie qui est particulièrement fin et délicat.

3. Grillez les rougets, au-dessus des braises assez chaudes, de 3 à 5 minutes sur chaque face. Au dernier moment, jetez une poignée d'herbes de Provence sur les braises et laissez un instant les rougets s'imprégner de ces fumées odorantes.

■ **4. Présentez** les rougets grillés, sur un plat de service chaud, surmontés chacun d'une rondelle de beurre d'anchois. Décorez de quartiers de citron.

SARDINES GRILLÉES « BORD DE MER » AU GRIL

Êtes-vous amateur ou non de peau de sardines ? Si oui, écaillez et lavez les sardines. Il ne vous restera plus qu'à en faire deux bouchées au sortir du gril, après en avoir retiré l'arête centrale. Sinon, mettez-les telles quelles sur le gril chaud ; la peau, si les écailles sont restées dessus, se retirera plus facilement ensuite. Lorsque les sardines sont fraîchement pêchées, c'est l'idéal.

Bon marché

 G

B

PRÉPARATION ET CUISSON : 5 mn

POUR 4 PERSONNES :

- **de 20 à 40 sardines,** selon la grosseur
- **beurre salé**
- **citrons**
- **sel, poivre**

1. Faites griller les sardines, sur le barbecue bien chaud. Les sardines cuisent très rapidement. Retournez-les au fur et à mesure qu'un des côtés est bien grillé.

2. Servez les sardines toutes chaudes, au sortir du barbecue. Apportez en même temps sur la table : beurre salé, pain bis, citrons, sel et poivre.

SOLES BEDFORT

La sole grillée est un tel délice qu'il suffit de la présenter tout simplement avec beurre fondu et citron pour l'apprécier pleinement. Mais, parfois, on a la tentation de « l'habiller » et des centaines de recettes s'offrent alors à nous. En voici une, traditionnelle mais peu connue, raffinée et délicieuse :

Cher

 G

**PRÉPARATION
ET CUISSON : 30 mn**

POUR 2 PERSONNES :

- 2 soles « portions » ou 1 belle sole de 800 g environ
- 1 paquet d'épinards surgelés
- 1 petit pot de crème fraîche
- 1 boîte moyenne de champignons de Paris
- 70 g de beurre
- 6 ou 8 tranches de pain de mie rond
- 1 citron
- sel, poivre

1. Préparez l'accompagnement : faites cuire les épinards selon les indications portées sur l'emballage. Ajoutez-y sel, poivre et crème fraîche.

2. Chauffez les champignons dans leur jus. Égouttez-les et mixez-les. Mélangez cette purée avec 2 grosses noix de beurre. Rectifiez l'assaisonnement.

3. Faites griller, de 1 à 2 minutes, les tranches de pain de mie beurrées.

4. Grillez les soles préalablement salées, poivrées et badigeonnées d'huile, sur le gril bien chaud, de 3 à 4 minutes, selon l'épaisseur.

5. Présentez les soles grillées, sur un plat de service chaud, entourées des canapés recouverts, par moitié, d'épinards à la crème et de purée de champignons. Décorez de citron. Apportez en même temps : coquilles de beurre frais ou saucière de beurre fondu.

THON AUX AROMATES PROVENÇAUX

La cuisson à la broche nécessite un poisson à la chair serrée et ferme, c'est le cas du thon. Toutefois bien qu'il soit gras, il a tendance à se dessécher pendant la cuisson. Pour pallier cela, il suffit de l'arroser tout au long de cette opération, d'un mélange approprié et odorant... Votre patience sera ensuite très largement récompensée !

Raisonnable

 R

 B

**PRÉPARATION
ET CUISSON : 45 mn**

POUR 4 PERSONNES :

- ■ **1 queue de thon ou de bonite de 800 g à 1 kg**
- ■ **3 ou 4 gousses d'ail**
- ■ **huile aux aromates de Provence**
- ■ **tomato ketchup**
- ■ **sel, poivre**

1. Piquez le thon de quelques éclats de gousses d'ail. Embrochez-le, bien centré, bien équilibré, et mettez dans le four (th. 7/8).

2. Pilez 1 ou 2 gousses d'ail dans un mortier. Ajoutez-y sel, poivre, huile d'olive aux aromates et un peu de tomato ketchup. Badigeonnez-en le thon, en cours de cuisson. Laissez cuire au total une trentaine de minutes, selon la grosseur du morceau. A mi-cuisson, vous pouvez réduire la température du four à th. 6/7.

3. Présentez le thon, sur un plat de service chaud, accompagné éventuellement de poivrons farcis au riz ou de demi-tomates grillées.

THON FRAIS « RED BARBECUE »

Faites vos jeux ! Jouez sur le rouge (le thon rouge, les oignons rouges, les tomates rouges, les poivrons rouges, etc.). Misez sur la grille du barbecue. Grillez d'impatience. Ouvrez grands les yeux et réjouissez-vous... Oui, le rouge gagne : l'or du feu s'est transmis à tous les aliments !

Pour un soir d'été, au bord de la mer, de la rivière ou de la piscine, plantez pour votre plaisir et celui de nombreux amis, le « casino gourmand » des vacances ! A peu de frais, vous deviendrez milliardaire d'un soir, milliardaire de couleurs, de saveurs, d'amitié, de gaieté, de bonheur...

Raisonnable

 B

**PRÉPARATION
ET CUISSON : 45 mn**

**POUR 4 OU 6
PERSONNES :**

- **2 larges tranches de thon frais**
- **1/2 verre d'huile**
- **2 citrons**
- **2 gousses d'ail**
- **3 oignons doux**
- **3 tomates**
- **3 poivrons rouges**
- **thym, sel, poivre de Cayenne**

1. Badigeonnez les tranches de thon d'un mélange : huile, jus de citron, ail haché, un peu d'oignon haché également, thym effeuillé, sel et poivre de Cayenne. Remuez longuement afin que la chair serrée du thon puisse bien s'imprégner.

2. Grillez les tranches de thon au-dessus des braises modérément chaudes du barbecue, et disposez autour : les tomates coupées en deux, les poivrons débarrassés de leurs pépins et partagés dans la longueur, les oignons doux coupés en épaisses rondelles. Pendant tout le temps de la cuisson, enduisez à plusieurs reprises, avec le reste de marinade, aussi bien les tranches de thon que les légumes.

3. Présentez les tranches de thon grillées, sur un grand plat de service chaud, entourées de tous les légumes grillés.

TURBOTIN GRILLÉ A LA CHORON

Choron était un grand chef cuisinier ; il laissa son nom à une sauce réputée. Il s'agit d'une sauce béarnaise à laquelle un peu de tomate concentrée ajoute une saveur différente et surtout une appétissante couleur rosée. Le turbot grillé, si délicat, lui aussi, mérite bien de temps en temps, d'être accompagné de cette sauce élégante.

Cher

 G

 B

**PRÉPARATION
ET CUISSON : 35 mn**

POUR 2 PERSONNES :

- **1 turbotin de 800 g environ (gratté par le poissonnier)**
- **huile**
- **sel, poivre**

SAUCE CHORON : (voir p. 305)

1. Badigeonnez le turbotin d'huile salée et poivrée.

2. Préparez la sauce Choron (voir recette p. 305).

3. Grillez le turbotin dans le gril moyennement chaud, pendant 5 minutes environ.

4. Présentez le turbotin grillé sur un plat de service chaud avec la sauce Choron, à part, dans une saucière. Accompagnez éventuellement de tomates grillées, pommes noisettes, champignons, etc.

AGNEAU MOUTON

« Un agneau se désaltérait dans le courant d'une onde pure... » Ce n'est pas La Fontaine qui dira le contraire : le mouton et encore plus l'agneau ont de tout temps été symboles de douceur et d'humilité !

Ils gardent cet aimable caractère jusque dans la cuisine et même à table où chacun apprécie la tendreté de leur viande et sa fine saveur.

Sur le plan culinaire, le mouton comme l'agneau se montrent fort accommodants : ils fournissent non seulement leurs gigots, morceaux de roi dont la délicieuse « souris » est la partie reine, leurs épaules, côtes et côtelettes, mais aussi leur foie et leurs rognons.

Et ces divers morceaux s'accommodent de toutes sortes de façons : les plus petits au gril, les grosses pièces à la broche ; et selon des recettes classiques, comme le gigot à la Française, ou plus originales : au pistou, à la sarriette, au romarin...

Animal bien de chez nous, le mouton est aussi l'une des richesses de l'Afrique du Nord.

Qui n'a rêvé d'un méchoui sous les palmiers d'une oasis... Vous avez un barbecue ? Il fait assez beau et chaud pour festoyer dehors ? Alors pourquoi ne pas inviter famille et amis à un « méchoui » de votre façon dans l'ambiance chaleureuse de...

... la Fête Marocaine.

Un ou deux gigots selon le nombre de vos invités et la taille de votre broche, quelques merguez, des tomates et des poivrons que vous ferez griller avec quelques gousses d'ail et des oignons, accommodés en salade chaude dite « Méchouia », décorée d'olives noires : vous avez là tous les ingrédients du festin.

Servez avec des coupelles de sel fin et de cumin en poudre, accompagnez d'un robuste vin rouge plein de soleil et de musique tout aussi ensoleillée.

AGNEAU A LA SARRIETTE ET AUX FÈVES FRAÎCHES

A LA BROCHE

La sarriette, cette plante odorante, mais plus fine que le thym, est ici un harmonieux intermédiaire entre l'agneau et les fèves fraîches. Tous deux, nés au printemps, sont symboles de la fête des premiers beaux jours !

Raisonnable

R

B

PRÉPARATION
ET CUISSON : 1 h

POUR 6 PERSONNES :

- 1 épaule d'agneau roulée de 1 kg 200 environ
- 1 kg de fèves fraîches
- 1 bouquet de sarriette
- huile d'olive
- 50 g de beurre
- sel, poivre

1. Enduisez l'épaule roulée d'un mélange : huile, sarriette effeuillée, sel et poivre.

2. Embrochez l'épaule, bien centrée et faites-la cuire à four moyennement chaud (th. 6/7), pendant 40 minutes environ. En cours de cuisson, badigeonnez du mélange huile-sarriette.

3. Cuisez les fèves fraîches, préalablement épluchées (inutile de retirer la peau, si c'est le début de la saison), dans de l'eau bouillante salée, dans laquelle vous aurez mis quelques brins de sarriette.

4. Présentez l'épaule roulée sur un plat de service chaud, entourée des fèves fraîches, égouttées et enrichies de beurre frais. Servez la sauce, à part, dans une saucière.

BROCHE DE GIGOT AUX AROMATES A LA
BROCHE

Sobrement cuit à la broche, tournant, dorant, s'amplifiant de saveurs, dans un mouvement régulier, la somptuosité de ce gigot à la broche vient de cette simplicité même. A condition toutefois de bien respecter les temps de cuisson.

Assez cher

 R

 B

**PRÉPARATION
ET CUISSON : 1 h 30**

POUR 8 PERSONNES :

- 1 beau gigot d'agneau ou de mouton
- 2 ou 3 gousses d'ail
- 2/3 de verre d'huile aux aromates (voir p. 30)
- 1/3 de verre d'huile aux piments
- thym, laurier, romarin
- 1 oignon
- sel

1. Piquez le gigot de demi-gousses d'ail. Enduisez-le du mélange huile aux aromates et huile aux piments.

2. Embrochez-le, bien centré, et mettez-le dans le four chaud (th. 7/8), de 15 à 20 minutes par livre pour l'agneau, ou de 12 à 15 minutes pour le mouton qui doit être servi plus saignant. Dans la lèchefrite, mettez le reste d'huile aromatisée et ajoutez quelques brins frais de thym et de romarin ainsi que l'oignon coupé en fines lamelles et 2 feuilles de laurier, grossièrement cassées. Au cours de la cuisson du gigot, arrosez-le souvent avec le jus de cuisson. Salez-le à la fin.

3. Présentez le gigot découpé, sur un plat très chaud, avec un bouquet de cresson. Servez la sauce à part, dans une saucière. Apportez, à table, des assiettes bien chaudes.

116

CARRÉ D'AGNEAU A L'INDIENNE   A LA BROCHE

Le carré de côtes d'agneau, toujours savoureux et si spectaculaire sur une table de réception, pourrait vous poser quelques problèmes au moment du découpage si vous aviez oublié un petit détail essentiel. Ce petit détail, le voici : demandez à votre boucher de fendre l'os à la base de chaque côte. Ainsi une fois le carré cuit, vous n'aurez aucune difficulté pour le découper.

Raisonnable

 R

 B

**PRÉPARATION
ET CUISSON : 40 mn**

POUR 4 PERSONNES :

- 1 carré d'agneau de 8 côtes (fendu par le boucher à la base de chaque côte)
- huile
- 1 gousse d'ail
- 1 piment vert long
- 1 cuil. à soupe de curry
- sel, poivre

1. Faites dorer le carré d'agneau, à la poêle, dans de l'huile chaude. Salez-le et poivrez-le.

2. Enduisez-le d'un mélange : ail et piment pilés très soigneusement (comme pour en extraire le jus), curry et huile.

3. Embrochez le carré d'agneau, bien centré, bien équilibré, et faites-le cuire dans le four chaud (th. 7/8), une vingtaine de minutes environ. Badigeonnez-les, à plusieurs reprises, avec de l'huile mélangée aux épices.

4. Accompagnez ce carré d'agneau à l'indienne, de riz blanc et de sauce au curry, toute prête. Présentez aussi, à la mode indienne, des piments verts longs, frais ou juste grillés.

CÔTELETTES D'AGNEAU A LA MENTHE FRAÎCHE

AU GRIL

La menthe est le rafraîchissement par excellence ! Rien n'est plus désaltérant qu'un thé à la menthe, même s'il est très sucré, comme on aime à le servir sous le chaud soleil d'Afrique du Nord. Rien n'est plus fraîchement délectable que ces cotelettes d'agneau à la menthe, grillées sur le barbecue, par une belle soirée d'été.

Raisonnable

 G

 B

PRÉPARATION ET CUISSON : 25 mn

POUR 4 PERSONNES :

- 8 côtelettes d'agneau
- menthe fraîche
- 3 cuil. à soupe de vinaigre de xérès
- 1 cuil. à soupe de sucre roux
- 3 cuil. à soupe d'huile
- sel, poivre

1. Pilez quelques feuilles de menthe fraîche afin d'en extraire tout le suc parfumé. Ajoutez-y le vinaigre de xérès, autant d'eau, le sucre roux, du poivre. Versez dans une petite casserole et faites réduire de moitié, sur feu vif. Incorporez l'huile et badigeonnez-en les côtelettes d'agneau.

2. Grillez les côtelettes d'agneau sur le barbecue, au-dessus des braises bien chaudes. Badigeonnez de mélange, en cours de cuisson. Retournez pour cuire sur les deux faces. Salez en fin de cuisson.

3. Présentez les côtelettes saupoudrées, au dernier moment, d'un hachis de feuilles de menthe fraîche.

4. Accompagnez éventuellement de pommes à l'anglaise ou de pommes de terre cuites sous la braise. Offrez du beurre et de la menthe fraîche, ou les deux mélangés.

ÉPAULE DE MOUTON A LA FARCE

Pour enrichir une viande, une volaille, un légume, pour lui donner une personnalité, une saveur nouvelles, il suffit de lui faire une farce ! Une farce classique ou, le plus souvent, fantaisiste, que l'on peut inventer soi-même en fonction de ses provisions, de la saison, de ses goûts, etc.

Raisonnable

R

B

**PRÉPARATION
ET CUISSON : 1 h 15**

POUR 6 PERSONNES :

■ 1 épaule de mouton désossée de 1 kg 200 environ

FARCE :

■ 500 g de champignons de Paris
■ 100 g de beurre
■ 1 oignon
■ 2 gousses d'ail
■ 2 biscottes
■ 1 œuf
■ 2 branches d'estragon
■ 2 branches de persil
■ huile pimentée
■ 1 verre de vin blanc sec
■ sel, poivre

1. Préparez la farce : épluchez, lavez les champignons, séparez les queues des têtes (gardez celles-ci pour la garniture). Dans une poêle contenant 50 g de beurre fondu, faites dorer l'oignon finement émincé et les queues de champignons en lamelles. Ajoutez ensuite l'ail haché, du sel et du poivre. Deux minutes après, versez le tout dans le mixer. Ajoutez-y biscottes, œuf, feuilles d'estragon et de persil, encore un peu de sel et de poivre. Mixez.

2. Tartinez la farce sur l'intérieur de l'épaule. Roulez-la sur elle-même, ficelez. Badigeonnez-la d'huile pimentée. Salez-la, et poivrez-la.

3. Embrochez l'épaule roulée et farcie, bien centrée. Faites-la cuire à four moyennement chaud (th. 6/7), pendant 40 minutes environ. Versez un verre de vin blanc sec dans la lèchefrite et arrosez souvent, pendant la cuisson, avec le vin.

4. Faites dorer les têtes de champignons entières dans le beurre chaud. Salez, poivrez, parsemez de persil haché au dernier moment.

5. Présentez l'épaule rôtie sur un plat de service chaud avec les têtes de champignons autour et, éventuellement, pommes noisettes et cresson. Servez la sauce, à part, dans une saucière.

122

GIGOT D'AGNEAU EN BRAILLOUSE

... « En braillouse », du verbe brailler qui signifie chanter, mais chanter très fort. Sous l'effet de la chaleur, la viande, en dorant, crépite et le jus qui s'écoule vient enrichir les pommes de terre qui cuisent, dans le même temps, en dessous.., Un délice !

Assez cher

 R

 B

**PRÉPARATION
ET CUISSON : 1 h 30**

POUR 8 PERSONNES :

- 1 beau gigot d'agneau
- 3 gousses d'ail
- thym
- 150 g de beurre
- 1 kg 500 de pommes de terre
- sel, poivre

1. Piquez le gigot de demi-gousses d'ail. Frottez-le de poivre, de thym effeuillé et d'un peu de beurre fondu.

2. Embrochez le gigot, bien équilibré, bien centré, et mettez-le dans le four chaud (th. 7/8), de 15 à 20 minutes par livre pour l'agneau (de 12 à 15 minutes pour le mouton qui doit être servi plus saignant). Si besoin est, badigeonnez-le de beurre fondu, à plusieurs reprises. Salez-le en fin de cuisson.

3. Disposez les pommes de terre, préalablement épluchées et coupées en rondelles, dans un plat à four, aillé et beurré. Intercalez, entre les couches, des noisettes de beurre, du sel, du poivre et un peu de thym effeuillé. Placez dans le bas du four et laissez les pommes de terre cuire doucement, en s'imprégnant du jus, tout au long de la cuisson du gigot.

4. Présentez le gigot découpé, en même temps que les pommes de terre. Servez dans des assiettes bien chaudes.

124

GIGOTS « MÉCHOUI »

A LA BROCHE

Même de petite taille, un agneau, et qui plus est un mouton, sont difficiles à cuire sur la broche d'un barbecue. Si vous voulez recréer l'ambiance d'un méchoui, cuisez plus simplement deux gigots en les badigeonnant souvent de matières grasses et d'épices qui attiseront joyeusement l'appétit de tous vos invités.

Cher

 R

B

PRÉPARATION ET CUISSON : 2 h environ

POUR UNE QUINZAINE DE PERSONNES :

- 2 gigots d'agneau ou de mouton
- 5 ou 6 gousses d'ail
- 300 g de beurre (ou 1 verre et demi d'huile)
- 2 cuil. à soupe de poudre de piments rouges doux
- 2 cuil. à soupe de cumin arabe
- sel

1. Piquez d'ail les gigots et badigeonnez-les d'un mélange : beurre fondu (ou huile), sel, poudre de piment et poudre de cumin arabe.

2. Embrochez solidement les gigots et cuisez-les au-dessus des braises assez chaudes. Badigeonnez de beurre fondu épicé, souvent en cours de cuisson. Comme celle-ci sera assez longue, il faudra particulièrement veiller à ce que les braises rouges se succèdent en permanence. Au besoin, tenez-en en réserve à côté, sur un foyer d'appoint. Le temps de cuisson risque d'être plus long que dans une rôtissoire, où la chaleur est constante et régulière.

3. Présentez éventuellement, au moment de la dégustation, des coupelles de sel fin et de cumin en poudre, comme on le fait traditionnellement en Afrique du Nord, lorsqu'on présente du mouton rôti.

GIGOT DE MOUTON A LA FRANÇAISE

Pour un grand nombre de Français, le bon gigot, celui qui vous met l'eau à la bouche rien que d'en parler, est accompagné de flageolets, servi assez saignant et fleurant discrètement l'ail odorant ! Mais tout le monde n'aime pas forcément croquer la gousse d'ail. Pour ceux-là, le bon truc consiste à piquer l'ail entre la « souris » et le manche du gigot.

Assez cher

 R

 B

**PRÉPARATION
ET CUISSON : 1 h 30**

POUR 8 PERSONNES :

- 1 beau gigot de mouton
- 2 ou 3 gousses d'ail
- 150 g de beurre
- 500 g de flageolets
- 1 kg de haricots verts
- 1 botte de cresson
- persil, menthe fraîche
- sel, poivre

1. Piquez le gigot de demi-gousses d'ail. Frottez-le de poivre en grains moulu et tartinez-le de beurre.

2. Embrochez le gigot, bien équilibré, et mettez-le dans le four chaud (th. 7/8), de 12 à 15 minutes par livre (un peu moins, même, si vous l'aimez très saignant). Arrosez-le de jus au cours de la cuisson. Salez-le à la fin. Si possible, laissez reposer la viande, une fois cuite, une dizaine de minutes avant de la découper (bien protégée dans une grande feuille d'aluminium, pour la maintenir chaude), elle n'en sera que plus tendre.

3. Cuisez les flageolets et les haricots verts, séparément, pendant le rôtissage du gigot. Au dernier moment, égouttez-les, ajoutez-y du beurre frais et un fin hachis de persil dans lequel vous aurez glissé deux ou trois feuilles de menthe.

4. Présentez le gigot, sur un plat de service chaud, accompagné des flageolets, des haricots verts et du cresson frais. Servez la sauce à part, dans une saucière. Apportez à table des assiettes bien chaudes.

MIXED GRIL

C'est vraiment le plaisir de la grillade. De l'agneau ou du mouton, sous toutes les formes : côtelettes, rognons, foie, merguez... un peu de chaque, au choix, au goût de chacun !
Agrémenté de tomates grillées, lard fumé, chips, cresson, etc., facilement préparé et joyeusement coloré, ce peut être un grand plat de fête, à partager avec les amis, au cours d'un « barbecue-party » ou, en toutes saisons et en nombre plus limité, à réaliser sur le gril électrique, comme ici.

Cher

 G

 B

**PRÉPARATION
ET CUISSON : 15 mn**

PAR PERSONNE :

- 1 côtelette d'agneau
- 1 rognon d'agneau
- 1/2 tranche de foie d'agneau
- 1 merguez
- 1 mini-tranche de lard fumé
- 1 tomate
- 1/2 oignon
- huile aux piments ou aux aromates
- sel, poivre

1. Enduisez tous les aliments d'huile aux piments ou aux aromates.

2. Grillez-les, dans le gril chaud, pendant 2 minutes. Puis ouvrez le gril, continuez la cuisson, à gril ouvert, en surveillant attentivement et en retirant les aliments au fur et à mesure. Les premiers cuits sont le foie, les rognons et le lard. Retournez-les, au besoin, en fin de cuisson. Salez et poivrez ensuite.

3. Servez directement sur des assiettes bien chaudes.

4. Accompagnez de cresson et de chips.

MOUTON RÔTI A LA MAROCAINE

Une palmeraie brûlante de soleil ; un mouton qui rôtit régulièrement, tourné et retourné, au-dessus des braises rouges, par une main attentive et patiente... Une merveilleuse image, haute en couleurs ? Une évocation traditionnelle de l'Afrique du Nord ? Un souvenir de vacances ? Peut-être tout cela... En tout cas, sous nos climats plus ou moins brumeux, un rêve exotique que la simple broche d'une rôtissoire permet de réaliser, en partie, nous restituant, à défaut du décor, la subtile odeur des chaudes épices et la tendreté d'une viande juteuse et cuite à point. Le reste, après tout, est affaire d'imagination !

Assez cher

 R

 B

**PRÉPARATION
ET CUISSON : 1 h 30**

POUR 6 A 8 PERSONNES :

- 1 morceau de mouton (gigot ou épaule) de 2 kg environ
- 150 g de beurre salé
- 1/2 cuil. à café de cannelle en poudre
- 1/2 cuil. à café de boutons de roses moulus (facultatif)
- 2 cuil. à café d'harissa
- 1/2 cuil. à café de safran
- sel, poivre

1. Frottez le mouton de cannelle en poudre, poivre noir en grains écrasé et boutons de roses moulus. Tartinez-le de beurre salé.

2. Embrochez le morceau de mouton, bien équilbré, et mettez-le dans le four (th. 7/8), de 12 à 15 minutes pour un gigot de mouton ou de 15 à 20 minutes pour une épaule. Lorsque le mouton commence à être doré, versez dans la lèchefrite le mélange : jus de 3 citrons, demi-verre d'eau chaude, reste de beurre salé fondu, harissa et safran. Arrosez à plusieurs reprises, de ce mélange, le mouton en cours de cuisson. Salez à la fin.

3. Présentez le mouton sur un plat de service chaud. Accompagnez-le de couscous nature et, éventuellement, de légumes (poivrons, courgettes, carottes, navets...).

MUTTON CHOP AU PISTOU

Les *Mutton chop,* ces doubles côtes dans le filet, sont un des meilleurs morceaux du mouton. De plus, leur belle présentation permet de les mettre aisément au menu d'une réception, à la condition, toutefois, que les invités soient peu nombreux. Plutôt que de les faire griller traditionnellement aux herbes de Provence, accommodez-les au pistou.

Cher

 G

 B

PRÉPARATION ET CUISSON : 25 mn

POUR 4 PERSONNES :

■ 4 doubles côtes filet de mouton
■ huile
■ sel, poivre

Pistou :
■ 1 petit bouquet de basilic
■ 1 ou 2 gousses d'ail
■ 1 petite tomate
■ 4 cuil. à soupe d'huile d'olive
■ sel, poivre

1. Préparez le pistou en pilant finement les feuilles de basilic, l'ail et la chair d'une tomate (sans le jus). Incorporez-y peu à peu l'huile d'olive. Salez et poivrez.

2. Grillez les côtes de mouton après les avoir préalablement enduites d'huile et de poivre, dans le gril très chaud, de 2 à 4 minutes. Salez-les en fin de cuisson. Répartissez le pistou sur les côtes grillées. Au besoin, laissez encore une minute sur le gril, mais en position haute, cette fois.

3. Accompagnez, éventuellement, de ratatouille niçoise, de haricots verts ou de pommes sautées.

MUTTON CHOP AU ROMARIN

Le romarin est l'ami du barbecue, jeté sur les braises chaudes quelques secondes avant la fin de la cuisson, il parfume les aliments et embaume l'air alentour d'une joyeuse odeur méditerranéenne. Quant au romarin, par lui-même, il est en plus l'ami des dépressifs, des rhumatisants et de ceux qui ont des troubles digestifs. « Avisse ! »

Assez cher

 G

 B

**PRÉPARATION
ET CUISSON : 15 mn**

POUR 4 PERSONNES :

- **4 doubles côtes filet de mouton ou d'agneau**
- **huile**
- **romarin**
- **sel, poivre**

1. Grillez les côtes de mouton après les avoir préalablement enduites de poivre et d'huile et les avoir saupoudrées largement de romarin effeuillé. Retournez-les pour les cuire sur les deux faces et jetez au dernier moment quelques branches de romarin sur les braises chaudes du barbecue. Salez en fin de cuisson.

2. Accompagnez éventuellement, ces côtes de mouton parfumées, de têtes d'ail entières, non épluchées et empapillotées de papier d'aluminium que vous pourrez cuire sur le gril, ou directement, près des braises plus douces, situées à la périphérie. Le temps de cuisson étant plus long que celui des côtes de mouton, vous pouvez les placer dès que le barbecue est allumé.

136

POITRINE DE MOUTON « BARBECUE »

La poitrine de mouton ou d'agneau est un morceau très osseux, bon marché donc, situé au tout début des côtelettes. Elle est relativement plate et la cuisson au barbecue, directement sur le gril, ou à la broche, lui convient très bien.

Bon marché

R

B

**PRÉPARATION
ET CUISSON : 1 h**

POUR 4 PERSONNES :

- 1 poitrine de mouton de 1 kg 500 environ (dont la peau extérieure a été retirée par le boucher)
- 1/2 verre de tomato ketchup
- 1 cuil. à soupe de sauce Worcestershire
- 1 cuil. à soupe de vinaigre
- 1 cuil. à soupe de miel
- 3 cuil. à soupe d'huile
- 1 oignon moyen haché
- 1 gousse d'ail hachée
- sel, poivre

1. Badigeonnez la poitrine de mouton avec le mélange de tous les ingrédients cités et portés sur le feu, quelques instants, jusqu'à ébullition.

2. Grillez la poitrine de mouton directement sur le gril du barbecue, ou fixée sur la broche, au-dessus des braises assez chaudes. Badigeonnez du mélange en cours de cuisson. Laissez cuire environ 45 minutes, selon l'épaisseur de la viande.

Note : Afin que la viande absorbe mieux la saveur des épices, vous pouvez y faire quelques entailles au couteau, avant de la badigeonner.

TRAIN DE CÔTES D'AGNEAU A LA PERSILLADE

Ce plat est une joie en lui-même. Il flatte la plupart de nos sens : la vue en premier, surtout si l'on prend la peine de le décorer de jolies papillotes, l'odorat car, dès la sortie du four, il fleure bon la persillade exacerbée par la chaleur, le goût enfin... dès la première bouchée !

Raisonnable

 R

▬ B

PRÉPARATION ET CUISSON : 45 mn

POUR 4 PERSONNES :
- 1 carré d'agneau de 8 côtes (fendu par le boucher à la base de chaque côte)
- 2 cuil. à soupe d'huile
- 3 cuil. à soupe de chapelure
- 2 gousses d'ail
- 1 bouquet de persil
- 40 g de beurre
- sel, poivre

1. **Faites dorer le carré d'agneau,** à la poêle, dans l'huile chaude. Salez-le et poivrez-le.

2. **Embrochez le carré d'agneau,** bien centré, bien équilibré, et faites-le cuire dans le four chaud (th. 7/8), pendant 15 minutes environ. A ce moment-là, retirez-le du four sans l'ôter de la broche.

3. **Tartinez de persillade** la partie bombée du carré, c'est-à-dire d'un mélange : chapelure, ail et persil hachés. Faites bien adhérer, à l'aide d'une spatule. Parsemez de noisettes de beurre et remettez quelques minutes à four chaud.

4. **Accompagnez** le carré d'agneau à la persillade de tomates à la provençale (voir p. 294), de haricots verts ou de pommes noisettes, par exemple.

TRANCHES DE GIGOT A L'ESTRAGON

AU GRIL

D'un prix élevé, mais ô combien succulentes, ces belles tranches de gigot grillées seront aussi simples à préparer qu'agréables à déguster... entre connaisseurs !

Cher

 G

 B

**PRÉPARATION
ET CUISSON : 20 mn**

POUR 4 PERSONNES :

- 4 tranches de gigot
- 3 branches d'estragon
- 1 gousse d'ail (facultatif)
- 50 g de beurre
- huile
- sel, poivre en grains

1. Enduisez les tranches de gigot d'un mélange : huile, moitié des feuilles d'estragon très finement hachées, comme pour en extraire le jus, gousse d'ail hachée (facultatif) et poivre en grains moulu. Badigeonnez-les soigneusement et laissez-les s'en imprégner pendant quelques minutes.

2. Grillez les tranches de gigot dans le gril très chaud, de 2 à 4 minutes. Salez en fin de cuisson.

3. Présentez les tranches de gigot grillées, juste nappées d'un beurre fondu et du reste des feuilles d'estragon finement hachées.

4. Accompagnez, éventuellement, de demi-tomates grillées, haricots verts, champignons, etc.

142

BŒUF

Le bœuf, c'est la viande par excellence. Celle qui évoque les solides mangeurs des plantureuses ripailles d'autrefois.

Pour cuire le bœuf, les ustensiles de choix sont la rôtissoire et le gril. Cette viande, la plus riche en sang, se doit d'être « saisie » afin que tous les principes nutritifs et gustatifs restent à l'intérieur. Cela ne s'obtient parfaitement qu'au gril ou à la broche.

Très savoureuse par elle-même, la viande de bœuf s'accommode fort bien de l'adjonction de diverses herbes, épices et aromates : thym, estragon, moutarde, genièvre...

Le bœuf, c'est le Charolais, la Normandie... c'est aussi le Far West, les grands espaces, les immenses troupeaux, les cow-boys... De là-bas nous vient le barbecue, ou plutôt nous **revient.**

Ne raconte-t-on pas en effet que ce sont des boucaniers français qui, en Louisiane ou aux Caraïbes, faisaient cuire le bœuf entier en l'embrochant « de barbe en queue » (certains disent « de barbe en cul ») expression américanisée par la suite sous la forme « barbecue ».

La Fête Américaine.

Quoi qu'il en soit, lorsque vous ferez une « barbecue party », que l'ambiance soit américaine de l'ouest ou Nouvelle-Orléans, style cow-boys, sudiste, flibuste ou Vieille France, soyez sûre que ce sera réussi. Mais voyez large : les grandes chevauchées ouvrent les grands appétits ! Prévoyez la côte de bœuf bien épaisse : 4 ou 5 côtes. Pour compléter l'ambiance américaine : des hot dogs (voir chapitre « Porc »), des épis de maïs grillés et tout un assortiment de sauces barbecue du commerce : ketchup, Worcestershire Sauce, Tabasco, moutarde forte, pickles... Avec quelques bons disques de « jazz hot », de « blues » et de « folk », ce sera « Fantastic ! ».

CHATEAUBRIANDS HENRI IV

Pour un roi, surnommé souvent « le Béarnais », et qui avait le souci de donner à tous les Français la possibilité de mettre, le dimanche, la poule au pot, ce n'est pas une gageure de retrouver son nom associé aux spécialités culinaires comportant, entre autres, de la sauce béarnaise. D'ailleurs, le chateaubriand, cette tranche épaisse, prise dans le plein cœur du filet de bœuf, dans sa partie la plus large, est un morceau royal !

Cher

 G

 B

**PRÉPARATION
ET CUISSON : 30 mn**

POUR 4 PERSONNES :

■ **4 chateaubriands de
200 g environ chacun**
■ **huile**
■ **sel, poivre**

**Sauce béarnaise :
(voir p. 304)**

1. Préparez la sauce béarnaise (voir recette p. 304) et maintenez-la tiède, dans un bain-marie, pendant la cuisson des chateaubriands.

2. Grillez les chateaubriands, préalablement huilés et poivrés, dans le gril bien chaud, de 2 à 4 minutes, selon l'épaisseur et votre goût. Salez en fin de cuisson.

3. Présentez les chateaubriands dans un plat de service chaud et la sauce béarnaise, à part, dans une saucière.

4. Accompagnez, éventuellement, de pommes château (voir photo) et de cresson.

CÔTE DE BŒUF GRILLÉE AU SERPOLET AU GRIL

Savoureuse, juteuse sous sa fine carapace dorée, la côte de bœuf juste grillée est déjà très réputée auprès des amateurs et, pour la maîtresse de maison, elle est facile à préparer. Toutefois, si vous disposez d'une heure avant de la mettre à griller, laissez-la s'imprégner de l'arôme du serpolet et même de l'oignon, elle n'en sera que meilleure.

Cher

 G

 B

PRÉPARATION ET CUISSON : 15 mn + 1 h de marinade

POUR 2 PERSONNES :

■ 1 côte de bœuf de 600 g environ (bardée ou non)

Marinade :
■ 3 cuil. à soupe d'huile
■ 3 ou 4 brins de serpolet (à défaut, de thym)
■ 1 oignon moyen
■ sel, poivre en grains

1. Faites mariner la côte de bœuf dans le mélange : huile, serpolet (ou thym) effeuillé, oignon très finement haché (au mixer de préférence pour obtenir presque un jus) sel et poivre en grains moulu.

2. Grillez la côte de bœuf dans le gril assez chaud, de 5 à 8 minutes selon l'épaisseur de la côte et votre goût.

3. Accompagnez éventuellement de demi-tomates grillées, de pommes de terre en papillote d'aluminium et de cresson.

148

COTES DE BŒUF A LA BROCHE

Si votre broche est assez grande pour le supporter, il est préférable de prendre un carré de 4 à 5 côtes. Vous obtiendrez le meilleur résultat avec une viande un peu rassie (c'est votre boucher qui en est seul juge), de qualité et bien persillée. A la fin de la cuisson, pensez à laisser reposer la viande de 10 à 15 minutes avant de la découper, afin qu'elle se détende. Maintenez-la bien chaude, en la protégeant d'une feuille d'aluminium. En procédant ainsi, vous mettrez toutes les chances de votre côté pour obtenir une côte de bœuf saignante et savoureuse à souhaits !

Assez cher

 R

 B

PRÉPARATION ET CUISSON : 1 h 15 environ.

POUR 8 PERSONNES :

■ **1 train de 4 ou 5 côtes de bœuf**

■ **thym**
■ **huile**
■ **Worcesterchire sauce**
■ **Tabasco**
■ **sel**

1. Enlevez des côtes, la graisse excédentaire qui, en fondant, pourrait faire exploser les braises. Mélangez 2 cuillerées à soupe de Worcestershire sauce et quelques gouttes de Tabasco. Enduisez-en les côtes de bœuf. Embrochez en diagonale (voir photo) afin d'obtenir un bon équilibre.

2. Faites griller sur la broche du barbecue, auprès des braises bien rouges. En cours de cuisson, vous pourrez badigeonner légèrement d'huile mélangée à du thym effeuillé. Salez en fin de cuisson. Le temps de cuisson sur un barbecue dépend beaucoup de la chaleur des braises, du vent, etc. (voir conseils généraux, en début du livre).

3. Laissez reposer la viande cuite, 10 à 15 minutes avant de la découper, enveloppée de papier d'aluminium. Découpez à l'américaine, en tranches épaisses ou à la française, en tranches plus minces. Servez aussitôt.

ENTRECÔTE GRILLÉE A LA MOUTARDE AU GRIL

Cette tranche, taillée dans les côtes couvertes du bœuf, entrelardée ou plutôt « persillée » délicatement de gras, est la viande rouge qui reste la plus savoureuse après la cuisson au gril, toujours un peu desséchante. La moutarde et le vinaigre lui apportent, ici, un petit « piquant » de plus.

Raisonnable

 G

 B

**PRÉPARATION
ET CUISSON : 12 mn**

POUR 2 PERSONNES :

- 1 entrecôte de 400 g environ
- 2 cuil. à soupe d'huile
- 1 cuil. à café de moutarde forte
- 1 cuil. à café de vinaigre à l'estragon
- sel, poivre

1. Enduisez l'entrecôte du mélange : huile, moutarde et vinaigre, jusqu'à ce qu'elle en soit bien imprégnée.

2. Grillez l'entrecôte dans le gril très chaud, de 2 à 4 minutes, selon l'épaisseur. Salez et poivrez en fin de cuisson.

3. Accompagnez éventuellement de cresson et de pommes de terre frites.

ENTRECOTES MINUTE AU ROQUEFORT AU GRIL

Sur le barbecue, dehors, en bavardant avec les amis, on peut tout oser sur le plan culinaire et ce que l'on goûterait avec un préjugé sur une table conventionnelle, devient ici prétexte à découvertes agréables, fantaisie, créativité joyeuse...

Raisonnable

 G

 B

PRÉPARATION
ET CUISSON : 20 mn

POUR 4 PERSONNES :

- 4 entrecôtes individuelles
- 100 g. de roquefort
- 100 g. de beurre
- quelques noix, amandes, noisettes, noix de cajou, pistaches, etc, décortiquées
- 1 échalote
- sel, poivre de cayenne

1. Faites fondre le beurre dans une casserole, avec l'échalote hachée. Laissez blondir celle-ci sans colorer. Ajoutez-y des fruits secs grossièrement hachés et le roquefort émietté. Fouettez sur le feu pour obtenir une sauce crémeuse. Laissez sur feu très très doux pendant la cuisson des entrecôtes.

2. Faites griller les entrecôtes préalablement enduites d'huile, au-dessus des braises rouges très chaudes du barbecue. Cuisez très rapidement sur les 2 côtés, ces entrecôtes « minutes » individuelles. Salez et poivrez en fin de cuisson.

3. Présentez les entrecôtes sur des assiettes chaudes, nappées de sauce au roquefort et fruits secs.

FAUX-FILET CLAMART

Clamart est une localité de la région parisienne qui fut, il y a longtemps, réputée pour ses petits pois. Ceux-ci, présentés sur des fonds d'artichauts, constituent, en deux tours d'ouvre-boîte, la garniture la plus express et la plus sympathique qui soit !

Raisonnable

 G

 B

PRÉPARATION ET CUISSON : 12 mn

POUR 2 PERSONNES :

- 1 tranche de faux-filet de 400 g environ
- 4 ou 5 fonds d'artichauts
- 1 boîte, taille 1/4 de petits pois
- 30 g de beurre
- huile pimentée
- sel, poivre

1. Réchauffez dans leur jus, et séparément, les fonds d'artichauts ainsi que les petits pois.

2. Grillez le faux-filet, préalablement enduit d'huile pimentée, dans le gril très chaud, de 2 à 4 minutes, selon l'épaisseur et votre goût. Salez et poivrez en fin de cuisson.

3. Présentez le faux-filet sur un plat de service chaud. Disposez autour les fonds d'artichauts emplis de petits pois, égouttés et mélangés avec du beurre frais. Rectifiez l'assaisonnement. Décorez de bouquets de cresson.

4. Accompagnez éventuellement de pommes de terre château (voir photo).

FILET DE BŒUF A LA DU BARRY A LA BROCHE

La favorite de Louis XV appréciait sans doute beaucoup ce légume fin et joliment décoratif ! Toujours est-il que toutes les garnitures de chou-fleur, en bouquets, en dôme ou en couronne, portent son nom. Afin qu'il reste présentable et conserve son goût particulier, le chou-fleur doit être servi juste cuit, plutôt moins que trop.

Cher

 R

B

**PRÉPARATION
ET CUISSON : 45 mn**

POUR 6 PERSONNES :

■ 1 filet de bœuf de
1 kg 200 environ
■ 1 ou 2 têtes de chou-
fleur
■ 4 grains de genièvre
■ huile
■ 50 g de beurre
■ persil
■ sel, poivre en grains

1. Écrasez les grains de genièvre et quelques grains de poivre. Ajoutez-les à l'huile et badigeonnez largement le filet de bœuf.

2. Embrochez le filet de bœuf, bien centré, et mettez-le dans le four chaud (th. 8/9), pendant une demi-heure si vous l'aimez saignant (de 12 à 15 minutes par livre, selon votre goût). Salez en fin de cuisson.

3. Cuisez le chou-fleur, en bouquets, dans de l'eau bouillante salée.

4. Présentez le filet de bœuf sur un plat de service chaud avec, autour, les bouquets de chou-fleur cuits, recouverts de beurre fondu et de persil haché. Servez la sauce, à part, dans une saucière.

HAMPE GRILLÉE AUX OIGNONS DOUX

Hampe, bavette, ces morceaux de bœuf naturellement plats, sont agréables à faire griller sur le barbecue. On peut les couper à l'avance en steaks individuels ou demander au boucher un morceau de hampe pour deux, trois ou quatre personnes et le cuire d'un seul tenant. La cuisson est plus facile et la viande plus savoureuse

Raisonnable

 G

 B

**PRÉPARATION
ET CUISSON : 20 mn.**

POUR 2 PERSONNES :

- **1 morceau de hampe de 400 g. environ**
- **3 ou 4 gros oignons doux**
- **1 poignée de raisins secs**
- **100 g. de beurre**
- **2 cuil. à soupe de vinaigre de vin**
- **huile**
- **sel, poivre**

1. Hachez 1 oignon doux et faites-le blondir dans une casserole avec 50 g. de beurre. Ajoutez-y le vinaigre, 1/2 verre d'eau, sel, poivre. Laissez mijoter tout doucement.

2. Faites griller la hampe et des rondelles épaisses d'oignons doux, préalablement badigeonnées d'huile, les unes et les autres, au-dessus des braises très rouges du barbecue. Salez, poivrez la viande en fin de cuisson.

3. Incorporez à la sauce, au dernier moment, le reste de beurre. Fouettez sur le feu.

4. Présentez la hampe sur un plat de service chaud, entourée des rondelles d'oignons grillées et nappée de sauce. Servez aussitôt.

RÔTI DE BŒUF MARINÉ
« EN CHEVREUIL »

A LA BROCHE

Il vous suffira de 24 heures de marinade pour transformer le trop habituel rosbif en une pièce de gibier, riche en saveurs. Choisissez ensuite une garniture et une sauce de venaison ou, plus simplement, comme ici, préférez une purée de marrons avec de jolis croûtons dorés.

Cher

 R

B

**PRÉPARATION
ET CUISSON : 45 mn
+24 h de marinade**

POUR 6 PERSONNES :

■ 1 rôti de bœuf de 1 kg 200 (avec la barde à côté)
■ 1 boîte 4/4 de purée de marrons (ou de la purée fraîche)
■ 80 g de beurre
■ 1 petit pot de crème fraîche
■ 1 cuil. à café de farine
■ une douzaine de tranches de pain
■ sel, poivre

MARINADE :

■ 1/2 bouteille de vin rouge
■ 1/2 verre de vinaigre de xérès
■ 3 cuil. à soupe d'huile
■ 1 oignon
■ 2 échalotes
■ 2 gousses d'ail
■ 2 carottes
■ 1/2 branche de céleri
■ thym, laurier, queues de persil
■ 2 clous de girofle
■ 4 grains de poivre

1. Faites mariner le rôti, non bardé, dans tous les éléments de la marinade (hachés ou coupés en rondelles, pour certains). Retournez à plusieurs reprises. Couvrez, et mettez au frais pendant 24 heures.

2. Embrochez le rôti mariné, bien égoutté et garni de sa barde. Versez un demi-verre de marinade dans la lèchefrite et servez-vous-en pour arroser le rôti en cours de cuisson dans le four chaud (th. 7/8), pendant une demi-heure environ (de 12 à 15 minutes par livre). Salez en fin de cuisson.

3. Faites réduire la marinade sur feu vif. Au moment de servir, reportez-la sur le feu. Ajoutez-y la crème fraîche mélangée avec la farine tamisée. Fouettez pendant 5 minutes.

4. Réchauffez la purée de marrons avec du beurre. Faites griller le pain ou faites-le rissoler dans du beurre.

5. Présentez le rôti sur un plat de service chaud, avec du cresson. Servez à part la purée de marrons, décorée de croûtons et la sauce dans une saucière.

STEAKS HACHÉS EN PAPILLOTES AU GRIL

La papillote a un rôle protecteur, certes, pour les aliments fragiles, tels certains poissons, ou pouvant se désagréger à la cuisson, comme la viande hachée, par exemple. Mais l'élément primordial de la papillote, c'est l'effet de surprise, en l'ouvrant, de découvrir, à travers les bonnes odeurs qui s'en dégagent « ce qui peut bien avoir été mis à l'intérieur ». Voila pourquoi les steaks hachés en papillotes, dont la recette suit, sont plutôt des steaks surprise !

Raisonnable

 G

 B

**PRÉPARATION
ET CUISSON : 25 mn**

POUR 4 PERSONNES :

- **600 g de steak de bœuf haché**
- **4 lamelles rondes de gruyère**
- **2 tranches de bacon**
- **1 cuil. à soupe de moutarde forte**
- **1 cuil. à soupe de tomato ketchup**
- **ciboulette, persil**
- **huile**
- **sel, poivre**

1. Préparez les hamburgers en mélangeant : steak de bœuf haché, moutarde tomato ketchup, bacon coupé en très petits morceaux, pas mal de ciboulette et de persil hachés, sel et poivre.

2. Taillez 4 carrés dans une feuille d'aluminium. Badigeonnez d'huile le centre de chacun. Déposez dessus une grosse cuillerée de steak aromatisé. Aplatissez. Recouvrez d'une lamelle de gruyère et, à nouveau, de steak aromatisé. Égalisez la surface. Refermez la papillote.

3. Faites cuire les steaks hachés en papillotes sur la grille du barbecue, au-dessus des braises bien rouges. Retournez à mi-cuisson. Laissez cuire au total une dizaine de minutes.

4. Servez tel quel, dans la papillote. Accompagnez de pommes frites, par exemple, ou de chips et de moutarde.

STEAKS MIRABEAU

La Provence, si riche en saveurs subtiles et fortes, à la fois, est un creuset inépuisable pour renouveler nos recettes... et, pour le steak notamment, qui revient si souvent sur nos tables, nous en avons grand besoin.

Osez le mélange anchois/bœuf et, passée la première surprise, découvrez le plaisir d'une cuisine gentiment audacieuse à « l'accent ensoleillé » !

Raisonnable

 G

 B

**PRÉPARATION
ET CUISSON : 20 mn**

POUR 4 PERSONNES :

- **4 beaux steaks**
- **8 tranches de pain de mie**
- **1 petite boîte de filets d'anchois à l'huile (ou mieux : les filets d'anchois au sel)**
- **1 tube de crème d'anchois**
- **20 olives vertes dénoyautées**
- **50 g de beurre mou**
- **huile**
- **estragon (facultatif)**
- **sel, poivre**

1. Préparez le beurre d'anchois en mélangeant le beurre mou avec la crème d'anchois (dosez selon votre goût). Mettez les tranches de pain de mie à griller, une minute, dans le gril moyennement chaud.

2. Grillez les steaks, après les avoir préalablement poivrés et huilés, sur le gril très chaud, pendant 2 à 3 minutes, selon l'épaisseur et votre goût.

3. Présentez les steaks sur un plat de service chaud, joliment quadrillés de filets d'anchois et de feuilles d'estragon (facultatif). Décorez d'olives vertes et présentez à part les canapés de pain de mie chauds, tartinés de beurre d'anchois.

4. Plus simplement vous pouvez présenter le beurre d'anchois, sans les canapés. Dans ce cas, façonnez le beurre d'anchois, en rouleau, dans une feuille de papier d'aluminium et faites raffermir dans le réfrigérateur. Coupez-les en 4 tranches, au dernier moment, et déposez celles-ci sur les steaks chauds.

TOURNEDOS MÉDICIS

Enjolivés de fonds d'artichauts emplis de légumes aux couleurs italiennes et accompagnés d'une sauce raffinée, ces tournedos de filet de bœuf grillés auront le plus grand succès sur votre prochaine table de réception. Réservez-les toutefois à un petit nombre de convives.

Cher

 G

B

**PRÉPARATION
ET CUISSON : 45 mn**

POUR 4 PERSONNES :

- **4 tournedos de 150 à 200 g chacun**
- **1 douzaine de fonds d'artichauts**
- **petits pois, carottes et navets surgelés, en boîte ou frais**
- **50 g de beurre, persil**
- **huile**
- **sel, poivre**

Sauce choron (voir p. 305)

1. Réchauffez tous les légumes. Accommodez petits pois, carottes et navets au beurre et persil haché. Rectifiez l'assaisonnement. Disposez-les sur les fonds d'artichauts chauds.

2. Grillez les tournedos, préalablement poivrés et enduits d'huile, sur le gril très chaud, de 2 à 3 minutes. Salez en fin de cuisson.

3. Présentez les tournedos sur un plat de service chaud. Disposez autour les fonds d'artichauts garnis de légumes. Si vous avez un surplus de légumes, vous pouvez les servir dans un légumier. Apportez en même temps la saucière de sauce choron (voir p. 305). Si vous avez peu de temps à votre disposition, vous pouvez, à la place, offrir un beurre fondu avec persil haché.

4. Accompagnez éventuellement de pommes noisettes.

TOURNEDOS AU POIVRE VERT

Rapides et faciles à faire, pimpants, frais, relevés et savoureux tout à la fois, les tournedos au poivre vert remportent toujours un succès sur nos tables. Choisissez-les dans le filet, très tendre. Celui-ci est considéré par les amateurs comme plutôt fade mais, ici, c'est moins important car la sauce masque un peu le goût de la viande. Seule la tendreté compte !

Assez cher

 G

 B

**PRÉPARATION
ET CUISSON : 20 mn**

POUR 4 PERSONNES :

- **4 tournedos épais dans le filet**
- **huile**
- **50 g. de beurre**
- **1 échalote**
- **2 cuil. à soupe de poivre vert (en saumure ou surgelé)**
- **200 g. de crème fraîche (facultatif)**
- **1 verre à liqueur de cognac**
- **sel**

1. Préparez la sauce au poivre vert en mettant dans une casserole le beurre et l'échalote hachée. Laissez fondre ensemble sans colorer. Ajoutez le poivre vert et, lorsque tout est bien chaud, le cognac. Faites flamber. Incorporez la crème fraîche (facultatif). Salez et nappez-en les tournedos au dernier moment.

2. Grillez les tournedos, préalablement enduits d'huile, sur le barbecue, au dessus des braises très chaudes. Retournez à mi-cuisson. Salez en fin de cuisson.

3. Présentez les tournedos, nappés de sauce au poivre vert.

NOTE : Si vous préférez ne pas mettre de crème fraîche, ajoutez plusieurs noix de beurre, au dernier moment dans la sauce.

PORC

Le cochon, c'est tout ou rien ! Pour de nombreuxx pays du monde qui le font griller en entier, « tout est bon dans le cochon ». Dans d'autres, il est proscrit de l'alimentation. Heureusement pour nous, la France fait partie des premiers. Chaque province a sa façon de cuire le cochon : à la Normande avec cidre et pommes, à la Dijonnaise relevé de moutarde, à la Provençale fleurant bon le fenouil...
Mais le porc va plus loin : il vous emmène vers les pays scandinaves où il se farcit de pruneaux, en Orient où il se laque, devient aigre-doux ou se parfume au curry, au Mexique où le piment et le chile lui donnent un tempérament de feu, et il revient en terre française chez nos cousins du Canada qui l'aiment nappé de sirop d'érable...
Alors, à vos grils et à vos broches pour le Tour du Monde du Cochon ! Et pour inaugurer les réjouissances...

... la Fête Paysanne !

Dans une maison de campagne (le luxe importe peu, mais s'il y a un toit de chaume, c'est encore mieux !) vous réunissez de joyeux compagnons au solide appétit autour d'un cochon de lait rôti à la broche dans le jardin en été, dans la cheminée en hiver... et vous avez le point de départ d'un festin sans façon, sympathique et décontracté, tels qu'on les a toujours aimés chez nous depuis nos ancêtres les Gaulois, (sauf qu'alors le cochon était souvent du sanglier !).

COCHON DE LAIT GRILLÉ

A LA BROCHE

A Hong-Kong, un charcutier fait griller un cochon, très gros et tout entier. Lorsque celui-ci est prêt, il le suspend dehors devant son échoppe et une nuée de gens vient en acheter un morceau tout chaud que le vendeur met dans un papier comme un cornet de frites, et que chacun consomme dans la rue. C'est la peau craquante et dorée à souhait qui est le plus appréciée. Cette appétissante peau dorée sera pour vous aussi le critère de réussite de votre cochon grillé. Toutefois, en France, pour qu'un cochon rôtisse à l'aise à la broche du barbecue, mieux vaut choisir un cochon de lait très jeune, afin qu'il soit très petit... et très très savoureux quand même !

Cher

 R

 B

**PRÉPARATION
ET CUISSON** : 3 h environ

**POUR 10 A 12
PERSONNES :**

- 1 petit cochon de lait entier de 4 à 6 kg
- 100 g de beurre
- 1 verre de vin blanc sec
- 2 têtes d'ail
- 1 citron
- thym, laurier
- romarin, persil
- sel, poivre en grains

1. Demandez au boucher ou au charcutier de « parer » le cochon de lait en laissant la tête et la queue mais en réservant les abats à part. Incisez légèrement la peau sur la nuque, les épaules et les cuisses pour éviter qu'elle n'éclate à la cuisson.

2. Frottez l'intérieur du cochon de lait de sel et de jus de citron. Emplissez-le de thym, laurier, romarin et persil ainsi que de grosses gousses d'ail non épluchées mais écrasées d'un coup sec avec la paume de la main (réservez 3 gousses d'ail). Poivrez. Recousez avec du gros fil ou à l'aide de petites brochettes. Ficelez les pattes deux par deux.

3. Enduisez le cochon de lait du mélange : 3 gousses d'ail pilées, beurre fondu, vin blanc, sel et poivre.

4. Embrochez très solidement le cochon de lait et faites-le cuire avec soin pendant toute cette cuisson qui sera longue (voir conseils généraux en début du livre et recette du jambon frais à la broche). Badigeonnez à plusieurs reprises pendant la cuisson, avec le beurre fondu aromatisé.

5. Servez tout chaud, accompagné de pommes de terre sous la cendre, de cresson, de crudités diverses et d'une belle motte de beurre frais.

CÔTES DE PORC GRILLÉES A LA DIJONNAISE

AU GRIL

Cuite au gril, la viande blanche a besoin d'être encore plus relevée que pour une cuisson traditionnelle, sinon, elle risque de paraître assez fade. La moutarde forte de Dijon, associée aux côtes de porc, remplira ce rôle à merveille !

Raisonnable

 G

 B

PRÉPARATION ET CUISSON : 12 mn

POUR 4 PERSONNES :

- 4 belles côtes de porc
- 1 cuil. à soupe de moutarde forte
- 4 cuil. à soupe d'huile
- sel, poivre

1. Grillez les côtes de porc, après les avoir enduites d'un mélange : moutarde forte, huile, sel et poivre, dans le gril moyennement chaud, de 5 à 7 minutes, selon l'épaisseur.

2. Présentez-les sur un plat de service chaud, avec du cresson. Apportez en même temps un pot de moutarde forte.

3. Accompagnéz, par exemple, de lentilles préparées par vous-même ou, en conserve et juste réchauffées.

FILET DE PORC A LA NORMANDE A LA BROCHE

Oignons doux, cidre et pommes ont en commun, à la fois l'âpreté de l'air de la côte et la douceur ou la rondeur du vallon normand. En y ajoutant l'indispensable et bon beurre de là-bas, on obtient un plat des plus rustiques, mais aussi des plus fameux.

Raisonnable

R

B

PRÉPARATION ET CUISSON : 1 h 45

POUR 4 PERSONNES :

- 1 filet de porc de 1 kg 300 environ
- 2 oignons doux
- 8 pommes
- 2 verres de cidre
- 4 clous de girofle
- 150 g de beurre
- sel, poivre

1. Faites dorer les oignons doux, coupés en quartiers dans une poêle contenant 50 g de beurre. Mettez-les ensuite dans la lèchefrite du four avec le cidre.

2. Embrochez le filet de porc, bien centré, après l'avoir salé, poivré et piqué de 4 clous de girofle. Faites-le cuire dans le four (th. 6/7), de 1 heure 15 à 1 heure 30, en l'arrosant souvent, pendant la cuisson, avec le cidre de la lèchefrite.

3. Faites blondir les tranches de pommes-fruits dans le beurre fondu. Procédez en plusieurs fois.

4. Présentez le filet de porc, sur un plat de service chaud, entouré des rondelles de pommes. Servez la sauce, à part, dans une saucière.

VARIANTE : Vous pouvez remplacer les pommes-fruits par des pommes de terre à l'anglaise ou, plus simplement encore, par de la compote de pommes juste réchauffée, ou de la purée instantanée.

GRILLADES DE PORC AU FENOUIL AU GRIL

La grillade de porc est un morceau très avantageux. Sans déchets, aussi mince qu'une escalope, elle reste néanmoins plus moelleuse après la cuisson. Comme elle est souvent très large, on peut s'amuser à l'utiliser comme le pain d'un sandwich, repliée sur elle-même, enfermant une farce odorante. Cette recette originale est, toutefois, réservée au gril électrique à deux faces.

Raisonnable

 G

PRÉPARATION ET CUISSON : 30 mn

POUR 4 PERSONNES :

- 4 très larges grillades de porc
- huile aux piments
- sel

Farce :
- 2 échalotes
- 1 gousse d'ail
- 30 g de beurre
- 1 tasse de mie de pain trempée dans du lait
- 1/4 de bulbe de fenouil
- 50 g de gruyère rapé
- 1 tranche de jambon cru
- persil
- sel, poivre

1. Préparez la farce en mélangeant les échalotes et l'ail hachés, juste fondus dans le beurre chaud avec la mie de pain essorée, le fenouil cru haché, le gruyère rapé, le jambon cru coupé en petits morceaux, le persil haché, très peu de sel et du poivre.

2. Enduisez les grillades de porc d'huile aux piments et de sel. Sur chaque grillade, déposez le quart de la farce. Étalez-la. Repliez la grillade en deux, sur elle-même.

3. Grillez les « grillades de porc » farcies dans le gril, moyennement chaud de 5 à 8 minutes.

4. Accompagnez-les de bulbes de fenouil braisés.

HOT DOG « BARBECUE »

A Francfort, on le nomme « Frankfurtel » ou « Würstel », aux États-Unis : « Hot dog ». Cette saucisse de Francfort chaude, glissée dans un morceau de baguette, est bien connue des nombreux occidentaux qui, pressés par le temps, l'avalent en guise de déjeuner. Mais pour une entrée, plus besoin de pain, c'est la saucisse de Francfort elle-même qui devient sandwich. On la fend en deux et on glisse une lamelle de gruyère. Il suffit ensuite de ceinturer de lard fumé et de griller. Sans ajouter le gruyère, c'est encore plus vite prêt et cela peut combler momentanément, en prenant l'apéritif, l'appétit des invités réunis autour du barbecue.

Bon marché

 B

**PRÉPARATION
ET CUISSON : 15 à 25 mn**

POUR 6 PERSONNES :

- **12 saucisses de Francfort**
- **12 bâtonnets de gruyère (facultatif)**
- **6 fines lamelles de lard de poitrine fumée**
- **huile**
- **moutarde forte**
- **12 petites piques en bois**

1. Enduisez les saucisses de Francfort d'un mélange d'huile/moutarde forte. Fendez-les en deux et glissez un bâtonnet de gruyère (facultatif). Ceinturez-les d'une demi-lamelle de lard de poitrine fumé. Maintenez celle-ci à l'aide d'une pique en bois, qui permettra ensuite aux invités de prendre la saucisse chaude, sans se brûler les doigts.

2. Grillez les saucisses sur le barbecue, au-dessus des braises chaudes, assez rapidement, jusqu'à ce que le gruyère commence à fondre et que le lard soit bien grillé.

3. Servez tel quel avec des chips, des pots de moutarde... et une pile de serviettes en papier.

JAMBON FRAIS A LA BROCHE

Le jambon est un rôti idéal lorsque les convives sont nombreux. Ils cuira plus facilement à la broche du barbecue, s'il a été désossé et roulé, au préalable, par le boucher. En revanche, si vous le laissez entier, la présentation n'en sera que plus jolie et plus appétissante. La cuisson, étant longue de toute façon, nécessite beaucoup de soins et d'attentions mais le résultat sera merveilleux !

Raisonnable

 R

 B

PRÉPARATION ET CUISSON : 3 h environ

POUR 10 PERSONNES :

- 1 jambon raccourci de 4 kg environ (ou désossé et roulé par le boucher)
- quelques clous de girofle
- sel, poivre

1. Frottez abondamment le jambon de sel, poivre et clous de girofles écrasés.

2. Embrochez solidement le jambon et mettez-le à griller assez près des braises pendant la première demi-heure puis ensuite, plus éloigné, tout au long de la cuisson qui sera assez longue (45 minutes environ par kg de jambon, au total). Laissez-le cuire ainsi, bien protégé dans sa peau. Veillez à ce que des braises chaudes se renouvellent sans interruption pendant les 3 heures de cuisson.

3. Accompagnez éventuellement ce succulent jambon rôti, d'épinards braisés, de gratin de pommes de terre légèrement aillé ou, à la façon italienne, de pâtes fraîches accommodées d'un peu d'ail, de crème et de basilic frais haché.

POINTE DE PORC A L'AIGRE-DOUX A LA BROCHE

Le porc se prête vraiment à toutes les combinaisons culinaires, à la recherche d'associations, insolites parfois, délicieuses souvent. Plus orientale qu'occidentale, cette façon d'accommoder le porc vous surprendra agréablement.

Raisonnable

 R

 B

**PRÉPARATION
ET CUISSON :**
1 h 15 + 1 h de marinade

POUR 6 PERSONNES :

■ 1 rôti de porc de 1 kg 300 environ, dans le filet de préférence.

Marinade :
■ 2 cuil. à soupe d'huile
■ 6 cuil. à soupe de vinaigre de xérès
■ 4 cuil. à soupe de sucre en poudre
■ 2 cuil. à soupe de sauce au soja
■ 2 cuil. à soupe d'eau
■ 1 cuil. à café de gingembre en poudre,
■ sel, poivre

1. Marinade : mettez tous les éléments dans une petite casserole. Remuez jusqu'à ébullition. Versez sur le rôti de porc, déposé dans un plat creux, laissez mariner pendant 1 heure au minimum, en retournant souvent.

2. Embrochez le rôti bien centré et faites-le cuire dans le four (th. 6/7), de 1 heure 15 à 1 heure 30, en l'arrosant souvent de marinade afin d'obtenir une jolie couleur dorée.

3. Présentez le filet de porc sur un plat de service chaud, accompagné de champignons chinois et de riz aux petits pois, par exemple.

POITRINE DE PORC A LA CANADIENNE _{A LA BROCHE}

Le sirop d'érable coule, coule, comme un doux fleuve, et imprègne une grande partie de la cuisine et de la pâtisserie canadiennes. Le porc, une fois de plus, s'amuse de cette innovation, insolite encore sur nos tables traditionnelles. Partageons toutefois, le temps d'un repas, les goûts de nos cousins d'outre-Atlantique en découvrant cette sympathique recette.

Raisonnable

R

B

PRÉPARATION ET CUISSON : 1 h 30

POUR 6 PERSONNES :

- **1 kg 200 environ de poitrine de porc**
- **1/4 de litre de sirop d'érable**
- **1 citron**
- **sel, poivre**

1. Embrochez la poitrine de porc, préalablement salée et poivrée. Centrez-la bien sur la broche. Faites-la cuire dans le four (th. 6/7), pendant 1 heure 15 environ, après avoir mis un verre d'eau dans la lèchefrite.

2. Mélangez le sirop d'érable avec le jus du citron et faites bouillir jusqu'à ce que le mélange soit réduit de moitié. Lorsque la viande est cuite, badigeonnez-la abondamment de ce sirop épais.

3. Présentez la poitrine de porc, toute brillante et bien dorée, sur un plat de service chaud.

4. Accompagnez de pommes de terre, cuites au four en papillote d'aluminium et de compote de pommes.

PORC LAQUÉ

Laqué, paré, lissé, ordonné, harmonieux comme une savante composition asiatique, ce rôti de porc, accompagné tout simplement de riz blanc, sera, dans sa sobriété, un plat très apprécié pour une petite réception entre amis. Une salade à base de soja pour commencer, litchies, mangues ou beignets d'ananas pour finir, du thé au jasmin (ou du vin)... Voilà un repas exotique facile à réaliser.

Raisonnable

 R

 B

**PRÉPARATION
ET CUISSON : 1 h 45**

POUR 4 PERSONNES :

- **1 rôti de porc de 1 kg 300 (dans le filet ou l'échine)**
- **1 cuil. à soupe de poudre aux cinq parfums**
- **4 cuil. à soupe de sauce au soja**
- **3 cuil. à soupe de miel liquide**
- **2 cuil. à soupe de sucre en poudre**
- **3 cuil. à soupe d'eau**
- **sel, poivre**

1. Frottez le rôti de porc avec la sauce au soja, la poudre aux cinq parfums, du sel (peu) et du poivre.

2. Embrochez le rôti, bien centré, et mettez-le à cuire dans le four (th. 6/7) de 1 heure 15 à 1 heure 30.

3. Enduisez-le, tous les quarts d'heure, pendant la cuisson, d'un mélange : sucre, miel et eau, à l'aide d'un pinceau.

4. Présentez le porc laqué, sur un plat de service chaud, accompagné de riz blanc. Apportez également, sur la table, la sauce au soja et de la sauce rouge aux piments.

RÔTI DE PORC A LA MEXICAINE   A LA BROCHE

Relevé, coloré, réservez le rôti à la mexicaine aux amis, un soir d'été par exemple, lorsque l'on profite tard du jardin, du balcon ou de la simple fenêtre ouverte. Un soir où l'on a tout son temps pour se désaltérer (pas trop quand même), sans souci du lendemain, en bavardant joyeusement et interminablement, à l'instar de ces soirées tropicales dont on rêve de ne pas les voir se finir !

Raisonnable

▣ R

▥ B

PRÉPARATION
ET CUISSON : 1 h 45

POUR 6 PERSONNES :

- 1 rôti de porc de 1 kg 300 environ, dans le filet de préférence
- 10 gousses d'ail
- 3 ou 4 piments verts, longs
- 2 verres de vin blanc
- 1/4 cuil. à café de chile en poudre
- 1 bouquet de coriandre fraîche
- sel, poivre

1. Piquez le rôti de porc de gousses d'ail et d'éclats de piments verts longs. Salez-le, poivrez-le et embrochez-le bien centré.

2. Faites cuire le rôti de porc dans le four (th. 6/7) de 1 heure 15 à 1 heure 30. Versez dans la lèchefrite, le vin blanc additionné de chile en poudre (attention, c'est très fort, dosez selon vos goûts). Arrosez souvent au cours de la cuisson.

3. Présentez le rôti de porc, découpé, sur un plat de service chaud, décoré de petits bouquets de coriandre fraîche. Accompagnez éventuellement de riz pilaw au piment et à l'ail ou d'épis de maïs grillés.

RÔTI DE PORC AUX PRUNEAUX A LA BROCHE

Dans les pays nordiques, où l'on a davantage l'habitude de l'association « sucré-salé », on farcit souvent le rôti de porc avec des pruneaux. Cela demande un certain tour de main, mais c'est si joli ensuite, à la coupe, et surtout, c'est merveilleusement savoureux !

Raisonnable

R

B

**PRÉPARATION
ET CUISSON : 2 h**

POUR 6 PERSONNES :

- 1 rôti de porc de
1 kg 300 environ (filet de préférence)
- 375 g de pruneaux dénoyautés
- bouquet garni
- sel, poivre

1. Farcissez le rôti : demandez au boucher de le transpercer ou, sinon, faites-le vous-même à l'aide d'un fusil à aiguiser *(1)*. Introduisez les pruneaux dénoyautés *(2)* en les poussant avec le fusil à aiguiser ou le manche d'une cuillère en bois. Salez et poivrez le rôti. Inutile de l'huiler, s'il est bien enrobé dans sa graisse. Embrochez-le, bien centré *(3)*.

2. Faites-le rôtir dans le four (th. 6/7), de 1 heure 15 à 1 heure 30. Après les premières minutes de cuisson, mettez un verre d'eau dans la lèchefrite ainsi que le bouquet garni. En cours de cuisson, arrosez le rôti, à plusieurs reprises avec le jus. En fin de cuisson, laissez reposer la viande une dizaine de minutes, elle se coupera plus facilement ensuite.

3. Cuisez les pruneaux restants dans de l'eau ou du thé léger, ou même dans du vin blanc coupé d'eau, pendant 30 minutes environ.

4. Présentez le rôti découpé, entouré des pruneaux, bien égouttés et servez, à part, le jus de cuisson dans une saucière.

(1)

(2)

(3)

194

TRAVERS DE PORC AU CURRY

Le travers de porc, très prisé en France, après avoir bouilli en compagnie de lentilles, choux ou autres légumes, sous le nom de « petit salé » est, au contraire, rôti et même caramélisé dans d'autres pays du monde, aussi divers que l'Inde, les États-Unis, la Chine...

Dépaysez-vous sans grand risque, en proposant à vos amis ce travers de porc à l'indienne. Accompagné de riz au curry, d'une salade de concombres et de chutney, par exemple, vous réaliserez facilement un repas original et d'un prix raisonnable.

Raisonnable

 B

**PRÉPARATION
ET CUISSON : 1 h**

POUR 6 PERSONNES :

- **2 kg 500 environ de travers de porc**
- **150 g de miel liquide**
- **1 cuil. à soupe bombée de curry**
- **1 citron**
- **huile**
- **sel, poivre**

1. Grillez le travers de porc, préalablement salé, poivré et légèrement badigeonné d'huile, sur le barbecue, au-dessus des braises chaudes, mais pas trop, car la cuisson du porc devra se prolonger assez longtemps (45 minutes environ). Lorsque la viande commence à prendre une belle couleur, enduisez-la du mélange : miel liquide, poudre de curry et jus de citron. Badigeonnez à plusieurs reprises.

2. Servez au sortir du barbecue, sans attendre. Accompagnez éventuellement de riz au curry, de concombre frais et de chutney.

VEAU

Le bon côté du veau, c'est son goût peu prononcé (certains disent un peu fade). Une excellente raison pour lui en faire voir de toutes les saveurs et de toutes les couleurs : le rouge et le vert des tomates et des petits artichauts poivrade, le moelleux et le fumé du gruyère et du bacon, le piquant du piment et la douceur du maïs, l'acide du citron et le sucré de l'orange...

Les Italiens sont grands amateurs de veau. C'est chez eux la viande la plus consommée et de toutes sortes de façons : escalopes milanaise, saltimbocca, osso bucco, picatta et autres vitello... Alors, « avanti » pour...

... la Fête Italienne.

A la broche : un rôti de veau à la romaine.
Sur le gril : des moitiés d'aubergines, des tomates, des oignons doux, des poivrons. Et, pourquoi pas, quelques brochettes avec veau, poivrons, oignons... A déguster avec du fenouil frais et du Chianti ou du Valpolicella...
Sur le tourne-disques : Vivaldi ou « O sole mio » selon vos goûts et ceux de vos invités.
Buon appetito !

CÔTES DE VEAU AU BEURRE D'ORANGE

AU
GRIL

Zeste, jus, chair, unanimement empreints d'une superbe couleur chaude orangée et d'un goût à la fois suave frais, acidulé et sucré... Une symphonie en un seul fruit : l'orange, et une harmonie avec une viande blanche, comme une page en attente : le veau !

Raisonnable

 G

 B

PRÉPARATION ET CUISSON : 30 mm + 1 h de marinade

POUR 4 PERSONNES :

- 4 belles côtes de veau
- 2 oranges (non traitées)
- 125 g de beurre
- ciboulette ou menthe fraîche
- sel, poivre

1. Préparez le beurre d'orange. Pour cela, râpez le zeste de toute une orange sur une râpe fine. Prélevez la moitié de ce zeste râpé et mélangez-le dans un bol, avec le beurre mou, la menthe fraîche ou la ciboulette hachée (ou les deux), du sel et du poivre.

2. Faites mariner les côtes de veau dans le jus de l'orange additionné de l'autre moitié de son zeste rapé, de sel et de poivre. Laissez mariner, 1 heure environ.

3. Grillez les côtes de veau, égouttées puis enduites d'un peu de beurre d'orange que vous aurez fait fondre au préalable. Lorsqu'une des faces sera bien grillée sur le barbecue, au-dessus des braises chaudes, retournez et déposez une noisette de beurre d'orange. Laissez cuire au total de 10 à 15 minutes.

4. Servez les côtes de veau, surmontées d'une tranche d'orange. Présentez le beurre d'orange, à part.

CÔTES DE VEAU EN PORTEFEUILLE AU GRIL

Le gruyère et le bacon s'associent à merveille avec le veau. L'un communique du moelleux à cette viande un peu sèche et l'autre, par son léger goût fumé, corse agréablement sa saveur délicate. Ces côtes de veau, à la présentation « bon enfant » mais très appétissante, réjouiront les plus gourmands !

Raisonnable

 G

 B

**PRÉPARATION
ET CUISSON : 12 mn**

POUR 4 PERSONNES :

- 4 belles côtes de veau,
fendues jusqu'à l'os,
dans l'épaisseur,
par le boucher
- 4 fines lamelles de
bacon
- 4 petites tranches
de gruyère
- noix de muscade
- huile, sel, poivre

1. Transformez les côtes de veau en portefeuille, en glissant à l'intérieur de chacune, une lamelle de bacon et une fine tranche de gruyère. Enduisez l'extérieur de sel, poivre, muscade rapée et huile.

2. Grillez les côtes de veau dans le grill moyennement chaud, de 4 à 6 minutes, jusqu'à ce que le fromage commence à « fondre » à l'intérieur.

3. Servez au sortir du gril, sur un plat de service chaud.

4. Accompagnez de nouilles fraîches au fromage.

CÔTELETTES DE VEAU AU «MASSALA» AU GRIL

Le « massala » n'est autre qu'un savant mélange d'épices, originaire de l'Inde et que nous connaissons mieux sous le nom de curry, cari ou carri. Là-bas, chaque maîtresse de maison fait son propre mélange de poudres de : gingembre, coriandre, cumin, curcuma, piment, poivre, etc. et en tient secret le dosage, qui devient alors sa propre « spécialité maison ». Vous aussi essayez-vous à un dosage personnel puisqu'il est facile maintenant d'acheter, dans les magasins de produits orientaux, toutes ces épices en poudre. Et si vous avez eu la main trop lourde, la première fois, modérez ce feu insolite par de douces et moelleuses bananes, cuites dans leur peau.

Raisonnable

 G

 B

**PRÉPARATION
ET CUISSON : 25 mn**

POUR 4 PERSONNES :

- 4 belles côtelettes de veau
- 1 cuil. à soupe pleine de poudres d'épices mélangées (gingembre, coriandre, cumin, curcuma, piment, poivre, etc.)
- 2 cuil. à soupe d'huile
- 4 bananes
- sel

1. Préparez votre « massala » personnel en mélangeant les épices citées et du sel avec l'huile. Badigeonnez-en les côtelettes de veau sur les deux faces.

2. Grillez les côtelettes de veau sur le barbecue, au-dessus des braises chaudes et assez rouges. Laissez cuire 5 à 7 minutes pour chaque face, selon l'épaisseur des côtes. Badigeonnez, en cours de cuisson d'huile aux épices.

3. Servez ces côtelettes de veau accompagnées des bananes cuites dans leur peau, sur le barbecue également. Présentez éventuellement du riz et du chutney.

COTELETTES DE VEAU EN PAPILLOTES

Un soupçon d'ail fondu dans du beurre, un peu de thym et de citron, cela suffit pour que, par l'effet toujours magique de la papillote, ces simples côtelettes de veau se transforment agréablement de la façon la plus appétissante et la plus odorante qui soit ! Des tranches d'aubergines, elles-mêmes imprégnées de beurre aux aromates et grillées, seront un accompagnement original et savoureux.

Cher

 B

**PRÉPARATION
ET CUISSON : 40 mn**

POUR 4 PERSONNES :

- **4 belles côtelettes de veau**
- **2 ou 3 aubergines**
- **120 g de beurre**
- **1 ou 2 gousses d'ail**
- **1 citron**
- **thym**
- **sel, poivre en grains**

1. Faites fondre le beurre avec l'ail très finement haché, dans une petite casserole. Ajoutez-y : jus de citron, thym effeuillé, sel et poivre en grains moulu. Enduisez les côtelettes de veau de ce beurre aux aromates. Placez chacune sur la moitié d'un large rectangle de papier d'aluminium. Refermez et roulottez les bords pour former une papillote.

2. Déposez les côtes de veau en papillote sur la grille du barbecue, au-dessus des braises assez chaudes. Laissez cuire pendant une dizaine de minutes environ, sur chaque face.

3. Grillez des tranches d'aubergines, coupées dans le sens de la longueur et préalablement enduites de beurre aux aromates, pendant le même temps.

4. Servez ensemble les côtes de veau dans leur papillote et les tranches d'aubergines grillées.
Présentez à part, des coquilles de beurre frais.

GRENADINS DE VEAU A LA BUTTERFLY AU GRIL

Ces tendres et succulents morceaux, taillés dans la noix de veau, tiennent leur nom des grenades, parce que ces tranches sont courtes et épaisses comme les fruits. A ces morceaux de choix, des légumes inhabituels et raffinés comme les crosnes, par exemple, d'origine asiatique, sont un accompagnement tout indiqué.

Cher

 G

 B

**PRÉPARATION
ET CUISSON : 1 h**

POUR 4 PERSONNES :

- 4 grenadins de veau
- 500 g de crosnes
- 3 cuil. à soupe d'huile
- 1/2 verre de xérès (ou madère ou vin blanc sec)
- 1 clou de girofle
- 50 g de beurre
- sel, poivre
- persil

Beurre Maître d'Hôtel :
- 50 g de beurre
- 1/2 citron
- persil, sel, poivre

1. Faites mariner les grenadins dans un mélange : huile, xérès (ou madère, ou vin blanc), clou de girofle écrasé, sel et poivre. Retournez-les à plusieurs reprises.

2. Préparez les crosnes : coupez les petits fils aux extrémités. Essuyez-les vigoureusement dans un torchon avec une poignée de gros sel, afin d'en retirer la peau, inaccessible autrement, de ces « tortillons ». Lavez-les, puis plongez-les une dizaine de minutes dans de l'eau bouillante salée. Égouttez-les et faites-les dorer doucement dans le beurre fondu, avec sel et poivre.

3. Faites le beurre Maître d'Hôtel en malaxant : beurre, jus de citron, persil haché, sel et poivre. Roulez dans un papier d'aluminium et mettez au réfrigérateur.

4. Grillez les grenadins, dans le gril moyennement chaud, de 4 à 6 minutes.

5. Présentez les grenadins surmontés d'une rondelle de beurre Maître d'Hôtel et entourés des crosnes persillés. Servez aussitôt.

VARIANTE : A défaut de crosnes, accompagnez les grenadins de salsifis sautés ou fenouils braisés, céleris, haricots verts, champignons, etc.

JARRET DE VEAU A LA SAUGE

Le jarret de veau, autour de son os, est un morceau très moelleux. Coupé en rondelles, il est la base de l'osso-bucco et c'est là, semble-t-il son unique utilisation. Pourtant ce morceau convient très bien à la cuisson sur barbecue, à la condition toutefois de la faire mariner au préalable en compagnie d'aromates. Et la sauge est tout indiquée pour cela.

Raisonnable

 G

 B

**PRÉPARATION
ET CUISSON : 30 mn
+ 2 h. de marinade**

POUR 4 PERSONNES :

- **4 ou 8 rondelles de jarret de veau assez minces**
- **sauge fraîche**
- **1/2 verre d'huile**
- **1 verre à liqueur de cognac**
- **sel, poivre de cayenne**

1. Faites mariner les rondelles de jarret de veau, préalablement entaillées très légèrement en surface, dans le mélange : sauge fraîche hachée et pilonnée, huile, cognac, sel et poivre de cayenne. Laissez mariner pendant 2 heures environ.

2. Grillez les rondelles de jarret de veau, égouttées, sur le barbecue, au-dessus des braises chaudes, pendant 15 à 25 minutes, selon l'épaisseur. Retournez à mi-cuisson et badigeonnez de marinade, en cours de cuisson.

3. Servez ces rondelles de jarret de veau, accompagnées éventuellement de rizotto et de sauce aux tomates fraîches.

QUASI DE VEAU A LA SUD-AMÉRICAINE

Un peu de piment rouge, le piment « zoiseau », et tout plein de ces graines jaunes, ensoleillées, doucement craquantes et joyeuses que l'on nomme maïs ! Le maïs constitue la céréale de base d'une grande partie du monde, au même titre que le riz et le blé. Même s'il est maintenant cultivé en France, il est encore peu utilisé dans notre cuisine traditionnelle, et pourtant il nous apporte, à peu de frais, une note gaie et exotique.

Raisonnable

R

B

**PRÉPARATION
ET CUISSON : 1 h 30**

POUR 6 PERSONNES :

- 1 kg 200 de quasi de veau
- huile aux piments
- 1 boîte 4/4 de maïs en grains
- 50 g de beurre
- sel, poivre

1. Frottez le quasi de veau avec sel, poivre en grains moulu et huile aux piments. Badigeonnez longuement d'huile aux piments, afin que la viande en soit bien imprégnée.

2. Embrochez le rôti, bien centré et faites-le cuire dans le four (th. 6), pendant 1 heure 15 environ. Enduisez d'huile aux piments, à plusieurs reprises, pendant la cuisson.

3. Réchauffez le maïs en grains dans le beurre fondu. Vous pouvez y ajouter un peu d'huile aux piments, mais surtout ne servez pas ces petits piments « zoiseau », car si un convive en croquait un par inadvertance, il aurait le palais affreusement brûlé par la force de l'épice.

4. Présentez le rôti de veau, sur un plat de service chaud, entouré du maïs chaud. Servez la sauce, à part, dans une saucière.

RÔTI DE VEAU A LA ROMAINE A LA BROCHE

Tendres et délicieux, ces petits artichauts joliment violacés, que l'on nomme « poivrade », sont la base essentielle de cette excellente recette... à l'air de vacances !

Raisonnable

 R

🛏 B

**PRÉPARATION
ET CUISSON : 1 h 30**

POUR 6 PERSONNES :

- 1 rôti de veau de 1 kg 200 environ
- 6 à 8 petits artichauts « poivrade »
- huile aux aromates
- 2 oignons
- 1 kg de tomates
- 3 gousses d'ail
- sel, poivre

1. Frottez le rôti de veau avec sel, poivre en grains moulu et huile aux aromates.

2. Embrochez le rôti, bien centré, et mettez-le dans le four (th. 6), pendant 1 heure 15 environ. Enduisez souvent, en cours de cuisson, d'huile aux aromates.

3. Cuisez les légumes : dans une cocotte contenant de l'huile aux aromates, chaude, faites dorer les oignons coupés en quatre, puis les tomates coupées également. Ajoutez-y enfin les petits artichauts lavés et coupés en deux ou en quatre (retirez le foin léger de l'intérieur), les gousses d'ail, du sel et du poivre. Couvrez et laissez mijoter jusqu'à ce que les petits artichauts soient cuits « à tendre ».

4. Présentez le rôti de veau, sur un plat de service chaud, entouré des quartiers d'artichauts aux tomates. Servez la sauce, à part, dans une saucière.

TENDRONS DE VEAU GRILLÉS A LA GRECQUE

Tendre est le veau, encore plus tendre est le « tendron » de veau et celui-ci, « attendri » par une marinade à la grecque, devient un pur délice !

Raisonnable

 G

B

**PRÉPARATION
ET CUISSON: 25 mn
+ 2 h de marinade**

POUR 4 PERSONNES :

■ **4 beaux morceaux de tendron de veau**

Marinade :
■ **1/2 verre de vin blanc**
■ **1/4 de verre d'huile**
■ **2 citrons**
■ **quelques grains de genièvre**
■ **1 bouquet garni**
■ **sel, poivre de Cayenne**

1. Préparez la marinade en faisant chauffer dans une petite casserole : vin blanc, huile, grains de genièvre, quelques rondelles de citron, le bouquet garni, sel et poivre de Cayenne. Après quelques minutes d'ébullition, retirez du feu et ajoutez le jus d'un citron. Versez sur les morceaux de tendron déposés dans un plat creux. Laissez mariner pendant 2 heures environ, en retournant à plusieurs reprises afin que la viande soit bien imprégnée des éléments de la marinade.

2. Grillez les tendrons de veau dans le gril moyennement chaud, de 7 à 10 minutes, selon l'épaisseur.

3. Accompagnez, éventuellement, de gombos (frais ou en conserve).

VEAU A LA LANGUEDOCIENNE A LA BROCHE

Aubergines, tomates, huile d'olive et aromates enrichissent, décorent, rendent encore plus succulent ce morceau de veau, la longe, déjà moelleux par lui-même.

Raisonnable

 R

 B

**PRÉPARATION
ET CUISSON : 1 h 30**

POUR 6 PERSONNES :

- 1 kg 200 environ de longe de veau
- persil, thym
- huile d'olive
- 1 verre de vin blanc sec
- 3 aubergines
- 100 g de beurre
- 6 ou 8 tomates
- 2 gousses d'ail
- sel, poivre

1. Frottez la longe de veau, de sel, poivre en grains moulu, thym effeuillé et huile d'olive.

2. Embrochez la longe, bien centrée, et faites-la cuire dans le four (th. 6), pendant 1 heure 15 environ. Versez le vin blanc dans la lèchefrite et arrosez souvent en cours de cuisson.

3. Préparez la garniture : sans les éplucher, coupez des tranches d'aubergines dans la longueur (ne mettez pas les côtés extérieurs près de la peau) et faites-les dorer à la poêle dans du beurre chaud. Également à la poêle (ou dans le gril électrique, voir p. 294), faites cuire les tomates coupées en deux, à la provençale, avec ail et persil hachés.

4. Présentez le rôti de veau, sur un plat de service, accompagné des tranches d'aubergines sautées et des tomates à la provençale. Servez la sauce, à part, dans une saucière.

ABATS

Il n'y a pas si longtemps, dans les fermes normandes, lorsque l'on tuait un cochon, il se faisait un grand festin d'abats. La viande de porc proprement dite était salée ou fumée pour être consommée tout au long de l'année ; mais les rognons, le foie, le cœur, les tripes et le sang, qui ne se conservent pas longtemps, étaient préparés, cuits et dégustés sans tarder.

« On tue le cochon chez Maît' Hauchecorne ! » La nouvelle, colportée de ferme en ferme, signifiait que pendant toute la journée, aidés par les voisins qui venaient volontiers donner un coup de main en échange d'un coup de cidre, le fermier, sa femme et ses enfants allaient s'activer à la confection des andouillettes, tripes et boudin dont on allait se régaler entre amis le soir même et souvent encore le lendemain.

Les traditions, aujourd'hui, ont tendance à se perdre. Alors, pourquoi ne pas faire revivre celle-là chez vous un de ces prochains week-ends ?

La Fête Normande.

Avec les abats, vous avez le choix. D'autant plus que rien ne vous oblige à vous limiter au porc : le veau aussi vous offre son cœur, son foie et ses rognons. Et tous ces mets vous apportent en abondance des principes nutritifs différents de ceux de la viande elle-même, notamment certaines vitamines et oligo-éléments.

Mais oublions la diététique, et que rougeoie la braise, que tourne la broche, que sautent les bouchons de cidre normand !

ANDOUILLETTES « BISTROT »

L'origine du mot « bistrot » remonte à 1814, lorsque les soldats russes qui avaient envahi Paris, trompaient quelques instants la vigilance de leurs chefs pour aller boire un « petit verre » dans les cafés de la capitale. Leur exclamation était « bistro, bistro » ce qui signifiait « vite, vite ». Depuis, l'appellation a gardé un côté désinvolte, sans manière, rapide, mais. aussi « arrosé de vin ».

Raisonnable

 G

 B

PRÉPARATION ET CUISSON : 15 mn

POUR 4 PERSONNES :

- 4 andouillettes
- 1 verre de vin blanc

1. Faites chauffer le vin blanc dans une petite casserolle et, après quelques secondes d'ébullition, faites-le flamber. Versez-le tout flambant sur les andouillettes que vous aurez piquées et déposées dans un plat creux. Retournez-les.

2. Grillez les andouillettes sur le gril moyennement chaud, mais placé en position haute afin de ne pas les écraser ni de les faire éclater. Retournez-les donc, laissez-les cuire ainsi, 6 minutes environ.

3. Présentez en même temps, de la moutarde, des chips, ou mieux, des frites. Et offrez-vous un bon vin blanc frais !

BOUDIN CRÉOLE GRILLÉ

La différence entre le boudin noir « tout-court » et le boudin créole, c'est le piment. Le piment et le soleil ont des liens invisibles et la cuisine des pays tropicaux en est le vivant témoignage. Aussi, choisissez une belle journée ensoleillée pour griller sur le barbecue ce boudin créole, bien relevé et laissez-vous envahir complètement par cette ambiance exotique en ne servant autour que des fruits de la nature ; des bananes, grillées elles aussi sur le barbecue, des mangues fraîches et parfumées, des cédrats odorants, des ananas, des noix de coco, etc. Rien ne vous empêche de présenter aussi, pour commencer, un joli panier de crudités... et d'accompagner ces agapes tropicales de punch créole. (Enfin, pas trop quand même) !

Raisonnable

 B

**PRÉPARATION
ET CUISSON : 15 mn**

POUR 6 PERSONNES :

■ **6, 9 ou 12 boudins
créoles individuels**
■ **huile**

1. Piquez les boudins de quelques coups d'aiguille, afin que la peau n'éclate pas à la cuisson. Badigeonnez-les d'huile.

2. Grillez les boudins sur le barbecue, au-dessus des braises bien chaudes et laissez-les cuire pendant 5 minutes de chaque côté, environ.

3. Servez tel quel avec tous les légumes et fruits cités plus haut.

NOTE : Le boudin créole, bien présenté, s'achète dans les magasins de produits antillais ou chez les très grands traiteurs. A défaut, vous pouvez créer l'illusion, en faisant mariner du boudin ordinaire dans de l'huile pimentée.

CŒURS DE VEAU A LA NIÇOISE A LA BROCHE

Le cœur n'est pas toujours tendre... Une bonne précaution : offrez-lui un peu d'alcool et d'épices « bonne humeur » !

Raisonnable

 R

 B

**PRÉPARATION
ET CUISSON : 1 h 15
+ 4 h de marinade**

POUR 4 PERSONNES :

- 2 cœurs de veau
(préparés par le boucher)
- 1 boîte 4/4 de ratatouille
niçoise (ou ratatouille
fraîche)

MARINADE :

- 1 verre à liqueur de
cognac
- 2 verres de vin blanc sec
- 2 cuil. à soupe d'huile
- 1 branche de romarin
- thym, laurier
- 1 cuil. à café de cumin
en poudre
- 1 pincée de poivre de
Cayenne
- sel

1. Arrosez les cœurs de veau, disposés dans un plat creux, de cognac bouillant et enflammé. Ajoutez aussi tous les autres éléments de la marinade, mis à chauffer ensemble et versés aussitôt après sur les cœurs. Laissez ainsi mariner pendant 4 heures, en retournant souvent.

2. Embrochez les cœurs, bien centrés, bien équilibrés et mettez-les à cuire dans le four assez chaud (th. 5/6) pendant une bonne heure. Mettez, dans la lèchefrite, un grand verre de marinade et arrosez souvent, en cours de cuisson.

3. Présentez les cœurs, coupés en tranches, dans un plat de service chaud, sur un lit de ratatouille niçoise. Recouvrez avec le jus de cuisson.

FOIE DE VEAU GRILLÉ A L'ANGLAISE AU GRIL

Pour ce morceau de choix, d'une grande richesse nutritive et d'une saveur délicate, voici l'accommodement le plus léger et le plus sobre qui soit.
Si vous aimez le foie de veau un peu saignant, rosé, préférez les tranches moins grandes, mais plus épaisses. Sinon, demandez au contraire, au marchand, de les couper assez minces.

Cher

G
B

**PRÉPARATION
ET CUISSON : 10 mn**

POUR 4 PERSONNES :

■ 4 tranches de foie de veau de 120 g environ chacune
■ 8 lamelles de lard de poitrine fumée
■ huile, sel, poivre

Décor facultatif:
■ 4 noix de beurre frais ou à la « Maître d'Hôtel » (voir p. 307)
■ 4 rondelles de citron

1. Grillez les lamelles de lard de poitrine fumée dans un gril moyennement chaud, pendant une demi-minute environ. Retirez-les aussitôt.

2. Grillez les tranches de foie de veau, après les avoir préalablement enduites d'huile, de sel et de poivre en grains moulu, dans un gril chaud, pendant 2 minutes à peine.

3. Présentez chaque tranche de foie de veau avec les deux lamelles de lard grillé et décorez, facultativement, d'une noix de beurre frais ou à la Maître d'Hôtel. Disposez également des rondelles de citron.

4. Accompagnez éventuellement de bouquets de cresson, demi-tomates grillées, pommes de terre en papillotes d'aluminium, pommes vapeur, etc.

VARIANTE : Vous pouvez remplacer le foie de veau par du foie d'agneau ou de génisse, moins onéreux... moins fin aussi !

ROGNONS PETIT-DUC AU GRIL

L'association rognons grillés et raifort, qui peut surprendre certains, n'est pas une création actuelle, mais une recette très traditionnelle de la cuisine française, novatrice depuis toujours. Elle a été inventée, comme son nom l'indique, il y a quelques siècles, à l'époque où la gastronomie était l'apanage des têtes couronnées.

Le raifort, qu'il ne faut pas confondre avec le radis noir, est servi rapé. C'est un condiment très apprécié dans la cuisine russe, mais que l'on peut acheter presque partout en France. Pour ceux qui ne le connaîtraient pas, il est préférable de le présenter, à part, afin que chacun puisse en prendre ; un peu, beaucoup, passionnément.... ou pas du tout !

Raisonnable

 G

 B

PRÉPARATION ET CUISSON : 10 mn

POUR 4 PERSONNES :

- **8 ou 12 rognons d'agneau (ouverts en deux et nettoyés par le boucher**
- **1 pot de raifort râpé**
- **50 g de beurre**
- **huile, sel, poivre**

1. Grillez les rognons d'agneaux, préalablement salés, poivrés et badigeonnés d'huile, très rapidement (2 minutes en moyenne) sur le grill très chaud.

2. Présentez les rognons grillés, refermés, après avoir déposé à l'intérieur une noisette de beurre et, pour les amateurs seulement, un peu de raifort rapé. Sinon, proposez celui-ci à part.

3. Accompagnez de pommes de terre sautées ou, comme les chefs cuisiniers, de pommes Anna, c'est-à-dire d'une fine couche de pommes sautées pressées en galette (voir photo).

ROGNONS DE PORC A LA TYROLIENNE AU GRIL

Les rognons de porc ont de nombreuses qualités ; une des principales étant leur prix avantageux. Bien frais et parfaitement nettoyés, ils sont excellents et encore plus rapides à cuire qu'un steak « minute ». Juste grillés, et accompagnés de cresson ou de salade verte, ils font admirablement bien partie des régimes « minceur ». Mais, si vous ne craignez pas les calories : les frites, les pommes sautées aux fines herbes, les lentilles, les choux braisés, etc., les accompagnent parfaitement.

Voici, ici, une recette qui allie joliment l'originalité à la sobriété :

Raisonnable

 G

 B

PRÉPARATION ET CUISSON : 20 mn

POUR 4 PERSONNES :

- ■ **4 ou 6 rognons de porc** (ouverts et nettoyés par le charcutier)
- ■ **1 boîte 4/4 de tomates entières**
- ■ **3 oignons**
- ■ **60 g de beurre**
- ■ **persil**
- ■ **sel, poivre**

1. Préparez la garniture en mettant à dorer un oignon haché avec 30 g de beurre. Ajoutez-y les tomates bien égouttées et coupées en morceaux. Rectifiez l'assaisonnement et laissez mijoter pendant 5 minutes.

2. Faites frire au beurre ou à l'huile, 2 oignons coupés en rondelles.

3. Grillez les rognons de porc, préalablement huilés, sur le gril bien chaud. Retirez-les après une minute et demi environ de cuisson. Salez-les et poivrez-les.

4. Présentez les rognons sur un plat de service chaud avec, dans leur cavité, les tomates braisées. Parsemez de persil haché. Décorez de rondelles d'oignons frits.

5. Accompagnez, éventuellement, de riz nature, pâtes au beurre ou pommes vapeur.

ROGNONS DE VEAU A LA LIÉGEOISE A LA BROCHE

Un soupçon de genièvre, en grains et en eau-de-vie, une cuisson protégée par une jolie crépine de porc et, pour finir, une flamme qui embrase ces succulents rognons !

Cher

🖾 R

🛏 B

PRÉPARATION ET CUISSON :
40 mn + 1 h de marinade

POUR 4 PERSONNES :

- 2 rognons de veau (dont le boucher aura retiré tous les déchets)
- 1 crépine de porc (à commander la veille chez votre charcutier)
- eau-de-vie de genièvre (pour flamber)

Marinade :
- 4 cuil. à soupe d'huile
- 1 petit verre d'eau-de-vie de genièvre
- 3 grains de genièvre
- sel, poivre

1. Faites mariner les rognons dans le mélange : huile, eau-de-vie de genièvre, grains de genièvre écrasés, sel et poivre en grains moulu. Laissez s'imprégner pendant environ 1 heure, en retournant souvent.

2. Enveloppez chaque rognon dans un morceau de crépine de porc *(photos n° 1 et 2)*, puis embrochez-les *(photo n° 3)*.

3. Faites rôtir dans la rôtissoire (th. 6/7), de 15 à 20 minutes.

4. Servez les rognons sur un plat de service chaud. Arrosez-les d'eau-de-vie de genièvre toute flambante, préalablement chauffée dans une petite casserole.

5. Accompagnez éventuellement, d'épinards braisés, de champignons ou de pommes de terre sautées.

(1)

(2)

(3)

SPIRALE DE BOUDIN NOIR GRILLÉ

Un long, très long morceau de boudin, enroulé en spirale, est toujours appétissant et spectaculaire à voir griller et à apporter sur la table. Tout le monde se régale d'un bon boudin grillé, accompagné de pommes fruits, mais généralement, on hésite à le mettre au menu de réception ! Le barbecue, en revanche, est le prétexte idéal à cette dégustation rustique et très agréable en plein air.

Bon marché

 B

**PRÉPARATION
ET CUISSON : 15 mn**

POUR 8 PERSONNES :

- 1 mètre environ de boudin noir
- huile

1. Piquez le boudin de quelques coups d'aiguille, afin que la peau n'éclate pas à la cuisson. Badigeonnez-le d'huile.

2. Grillez le boudin sur le barbecue, en le disposant sur la grille, à la façon d'un escargot. Laissez cuire environ pendant 5 minutes sur chaque face. Retournez délicatement, à l'aide de deux spatules.

3. Servez le boudin tout chaud, accompagné de pommes fruits, enveloppées de papier d'aluminium et cuites sur la grille du barbecue. Attention, toutefois, le temps de cuisson des pommes est beaucoup plus long que celui du boudin. Commencez donc par mettre les pommes, une vingtaine de minutes avant le boudin, au centre de la grille, sur les braises chaudes ; puis éloignez-les de la grosse chaleur et laissez-les finir de cuire autour du boudin. Vous pouvez également servir de la compote de pommes chaude ou de la purée de pommes de terre.

VOLAILLES. LAPIN. GIBIER.

Les produits de la basse-cour... pourquoi « basse », au fait ? Serait-ce parce que, depuis les temps très anciens, ce furent toujours les femmes qui s'en occupaient ? Alors que la chasse, n'est-ce pas, était une occupation de haut prestige, réservée aux hommes ! Ce qui n'a d'ailleurs jamais empêché ces mêmes hommes de considérer l'oie, la dinde ou la pintade, une fois servies à « leur » table, comme des plats prestigieux.

A part la dinde de Noël et quelques nobles plats de canard, il reste aujourd'hui fort peu de chose de cette époque glorieuse de la volaille. Ne serait-ce pas par manque d'imagination ? Pourquoi se limiter au simple poulet rôti (d'ailleurs délicieux) alors qu'il existe bien d'autres volatiles (sans oublier le lapin) et bien d'autres manières de les accommoder, surtout lorsque l'on possède gril, rôtissoire ou barbecue.

Et pour sortir des sentiers battus, pourquoi ne pas nous tourner vers la France des Tropiques...

La Fête Antillaise.

Un « ti punch » au rhum blanc ou vieux pour ouvrir l'appétit, un air de biguine ou de calypso pour créer l'ambiance sonore, si possible une belle journée de soleil (même si celui d'ici ne vaut pas celui de là-bas) : le décor est planté pour un repas où conversations animées et rires ne s'arrêteront que pour laisser entendre des « oh » de surprise heureuse et des « ah » de délectation.

Autour de vos « coquelets grillés au citron vert », tâchez de réunir quelques légumes et fruits exotiques (on en trouve maintenant assez facilement) : avocats, ignames, patates douces, choux caraïbes, mangues, goyaves...

Servez avec des piments et du riz blanc dont les grains se détachent bien, du « riz debout » comme on dit en créole.

CANARD LAQUÉ

Rutilant, lumineux, le canard laqué est le plat d'excellence à réaliser sur la broche d'un barbecue, un jour de grand soleil ! Cela peut surprendre au premier abord, mais c'est sans doute ainsi qu'il a été créé il y a des siècles et des siècles, sous l'infatigable pinceau d'un cuisinier esthète, armé d'une patience... toute orientale !

Raisonnable

R

B

PRÉPARATION ET CUISSON : 1 h 30

POUR 4 A 6 PERSONNES :

- 1 canard de 1 kg 500 à 1 kg 800, vidé et bridé
- 1 verre de sauce au soja
- 1/4 verre d'huile
- 3 citrons
- 3 clous de girofle
- 1/2 verre de miel liquide
- sel, poivre de Cayenne

(1)

(2)

(3)

(4)

(5)

1. Frottez le canard d'un mélange : sauce au soja, huile, jus de citron, clous de girofle écrasés, sel et poivre de Cayenne (ne mettez pas le miel tout de suite). Laissez le canard bien s'imprégner de cette marinade.

2. Embrochez le canard et faites-le rôtir sur le barbecue. Lorsqu'il commence à dorer, enduisez-le, à l'aide d'un pinceau, du reste de marinade additionnée de miel liquide. Badigeonnez jusqu'en fin de cuisson. Servez aussitôt.

3. Pour découper le canard : détachez d'abord les cuisses *(1)* puis coupez-les en deux *(2)*. En glissant le couteau le long du bréchet *(3)* détachez le filet et coupez-le en biais, à l'horizontale, en plusieurs tranches *(4)*. Détachez ensuite les ailes. Il ne doit plus rester que la carcasse *(5)* !

CANETON EN BARBOUILLE   AU GRIL

Aplati comme une escalope, le caneton ne cuira pas aussi vite que celle-ci, mais sera parfaitement grillé. Pour cela, fendez le caneton par le dos et aplatissez-le (reportez-vous aux tours de main du coquelet grillé à la diable, p.248). Retirez la colonne verté-brale et le cartilage de la carcasse. Maintenez les ailes et les cuisses avec des bro-chettes afin que la chair ne se recroqueville pas en cours de cuisson. Et, une fois cuit, « barbouillez-le » de caramel. C'est excellent !

Cher

 G

 B

PRÉPARATION ET CUISSON : 1 h environ

POUR 4 PERSONNES :

- 1 caneton aplati, comme indiqué ci-dessus
- 1 cuil. à soupe de curry
- 1 cuil. à soupe d'huile
- thym, sauge séchée
- huile
- sel, poivre

Caramel :

- 75 g de sucre en morceaux
- 2 ou 3 cuil. à soupe d'eau

1. Frottez le caneton aplati de poudre de curry, de sel, de thym effeuillé et de sauge. Enduisez-le d'huile.

2. Grillez le caneton sur le barcecue, au-dessus des braises moyennement chaudes. Laissez cuire 20 minutes environ sur chaque face. Au tout dernier moment, jetez sur les braises, le reste de thym et de la sauge sèche.

3. Préparez un caramel en faisant fondre l'eau et le sucre. Lorsqu'il est blond, « barbouillez-en » le caneton et servez aussitôt.

4. Présentez le caneton tout brillant, accompagné par exem-ple, de patates douces cuites sous la cendre, d'épis de maïs grillés ou d'autres légumes grillés.

COQUELET A LA CUBAINE

Si vous n'aimez pas les épices, passez tout de suite à une autre page et choisissez une recette moins explosive. Par contre, si, par une belle journée ensoleillée, vous avez envie de vous dépayser, le temps d'une grillade, alors amusez-vous à pimenter ce poulet à la façon d'une maîtresse de maison cubaine et grillez simultanément des épis de maïs qui feront tout à fait « couleur locale ».

Raisonnable

 G

 B

**PRÉPARATION
ET CUISSON : 45 mn**

POUR 4 PERSONNES :

- **2 coquelets coupés en deux ou 1 poulet coupé en quatre**
- **1 cuil. à café d'Harissa**
- **1 cuil. à soupe de piment doux en poudre**
- **1 cuil. à café de moutarde forte**
- **1/2 verre d'huile**
- **sel**

1. Badigeonnez les morceaux de coquelet d'un mélange : harissa, piment doux en poudre, moutarde, huile et sel.

2. Grillez les morceaux de coquelet, sur le barbecue, au-dessus des braises tout d'abord bien rouges puis moins chaudes ensuite. Retournez à mi-cuisson. Badigeonnez à plusieurs reprises avec l'huile pimentée. Laissez cuire au total une trentaine de minutes. Pendant ce temps, mettez à griller sur le barbecue des épis de maïs.

3. Servez les morceaux de coquelet tout chauds au sortir du barbecue. Accompagnez-les des épis de maïs grillés et de beurre frais.

COQUELET GRILLÉ AU CITRON VERT A LA BROCHE

Une recette très fraîche, très simple à réaliser pour les jours de loisirs et de chaleur. Une condition indispensable toutefois, c'est que les poulets soient petits, très jeunes et très tendres : des coquelets, en somme. Accompagnez-les d'une jolie salade, simple ou composée, accomodée elle aussi, au citron vert.

Raisonnable

 R

 B

**PRÉPARATION
ET CUISSON : 45 mn
+ 1 h de marinade**

POUR 4 PERSONNES :

- 1 coquelet ou 2 très petits
- 2 ou 3 citrons verts
- huile
- sel, poivre

1. Faites mariner le coquelet dans le jus des citrons verts, pendant une heure environ. Ensuite, salez, poivrez et enduisez-le d'huile.

2. Embrochez le coquelet solidement sur la broche et faites rôtir près des braises chaudes, mais pas trop, pendant 30 à 40 minutes environ, selon la grosseur.

3. Servez le coquelet tout chaud, tout doré, accompagné d'une fraîche salade et éventuellement de riz créole. Vous pouvez aussi présenter du beurre maître d'hôtel mais préparé avec des citrons verts (voir recette p 303).

COQUELETS GRILLÉS A LA DIABLE AU GRIL

Un feu d'enfer, tant dans les braises ardentes qui permettent de griller la viande que dans le palais du gourmand qui s'enflamme de la force des épices réunies... C'est sans doute là l'origine de l'appellation ! Il y a, pour obtenir ce résultat, plusieurs recettes. En voici une parmi elles, que Lucifer, lui-même, ne renierait pas :

Raisonnable

 G

 B

PRÉPARATION ET CUISSON : 45 mn

POUR 4 OU 6 PERSONNES :

■ 2 coquelets de petite taille (ouverts et aplatis par le boucher ou par vous-même, en suivant les tours de mains filmés ci-dessous)
■ moutarde forte
■ huile
■ 1 tasse de chapelure
■ sel, poivre

Sauce à la diable : voir p. 305

1. Fendez les coquelets par le dos *(1)* pour les ouvrir complètement et les aplatir. Afin de les maintenir bien à plat, taillez une boutonnière dans la peau pour y glisser le bout du pilon *(2)*. Avant de les déposer sur le gril du barbecue *(3)*, salez-les, poivrez-les, enduisez-les de moutarde forte et d'huile, puis passez-les dans la chapelure. Faites-la bien adhérer, en retirant les excès.

2. Faites griller les coquelets aplatis au-dessus des braises bien rouges. Retournez-les à mi-cuisson. Surveillez attentivement cette cuisson (de 20 à 30 minutes) pour que les coquelets soient bien dorés, mais non brûlés.

3. Préparez la sauce à la diable (voir p. 306) pendant la durée de la cuisson des coquelets. Servez-la, à part, dans une saucière.

VARIANTE : Il est préférable de réaliser cette recette avec des petits poulets qui cuisent plus rapidement. A défaut, avec un poulet plus gros, il faudrait ajouter la moutarde et la chapelure seulement 5 minutes avant la fin de la cuisson.

(1)

(2)

(3)

ESCALOPES DE DINDE AU CURRY

AU GRIL

Un peu sèche, la chair de la dinde gagne toujours, avant d'être mise à griller, à séjourner quelque temps dans une marinade contenant de l'huile... et, de surcroît, des épices ! Comme son cousin, le poulet, la dinde s'accommode parfaitement bien du curry indien.

Raisonnable

 G

 B

**PRÉPARATION
ET CUISSON : 5 mn
+ 1 h de marinade**

POUR 4 PERSONNES :

■ 4 escalopes de dinde de 150 g environ chacune

Marinade :
■ 3 cuil. à soupe d'huile
■ 1 cuil. à soupe de cognac
■ 1 cuil. à soupe de curry (à doser selon les goûts)
■ sel, poivre

1. Faites mariner les escalopes de dinde, dans tous les éléments de la marinade, bien mélangés. Retournez à plusieurs reprises. Comptez une heure environ.

2. Faites griller les escalopes de dinde, dans le gril moyennement chaud, de 3 à 4 minutes environ, selon leur épaisseur.

3. Présentez-les, aussitôt cuites, sur un plat de service chaud.

4. Accompagnez, éventuellement, de riz créole avec une sauce curry, à part, ou d'un rizotto aux oignons et au curry. A la mode indienne, vous pouvez également offrir du *chutney* ou des piments verts, longs et minces, frais ou marinés (pour amateurs d'épices fortes seulement !)

FAISAN AUX NOIX

L'ouverture de la chasse et la récolte des premières noix se font à la même époque. Ces deux cadeaux de la nature, associés dans une même recette, nous remettent en mémoire une des plus vieilles lois de la vie et qui tient en un mot : « Harmonie. » Il faut toujours aller au-delà des choses, à la recherche, à la découverte... et oser les mélanges insolites, innover, créer, etc., à la condition de revenir parfois, et souvent même, aux vraies racines, à la source, à cette composition naturelle que l'on nomme « harmonie ». Puisse ce modeste faisan aux noix vous faire partager, à la fois, une joie gastronomique et un certain bonheur de vivre !

Cher

▓▓▓ R

PRÉPARATION ET CUISSON : 1 h 15

POUR 4 PERSONNES :

- 1 faisan, préparé et bardé par le volailler
- 125 g de beurre
- 500 g de noix
- 3 ou 4 foies de volailles
- 1 échalote
- 1 verre à liqueur de cognac
- 1 cuil. à soupe de crème fraîche
- 12 canapés de pain de mie
- sel, poivre en grains

1. Embrochez le faisan, bien centré, après l'avoir salé, poivré, et arrosé de beurre fondu (30 g environ). Mettez-le dans le four (th. 7/8), de 20 à 25 minutes, par livre. Cinq minutes avant la fin de la cuisson, coupez les ficelles et retirez la barde, afin de faire colorer. Arrosez de beurre fondu, pour faciliter cette coloration.

2. Ouvrez les noix. Mettez de côté une quinzaine de demi-noix et regroupez toutes les autres dans une tasse.

3. Préparez les canapés : commencez par faire revenir dans du beurre, sur feu doux, le foie du faisan ainsi que les 3 ou 4 autres foies de volailles. Salez-les et poivrez-les. Lorsqu'ils sont presque cuits, ajoutez-y une échalote hachée. Remuez. Au bout de quelques minutes ajoutez le cognac. Faites flamber. Incorporez la crème fraîche. Versez le tout dans le bol d'un mixer en y ajoutant les noix décortiquées et réservées dans la tasse. Mixez jusqu'à ce que vous obteniez une belle purée.
Tartinez celle-ci sur les tranches de pain de mie préalablement beurrées et passées au four.

4. Présentez le faisan, entouré des canapés. Décorez le tout avec les demi-noix.

FAISAN AU RAISIN

Le faisan, à la chair un peu sèche et fragile, aime à être protégé d'une fine barde de lard mais si, en plus, vous lui communiquez, par l'intérieur, le moelleux d'un pied de veau, vous obtiendrez le « fin du fin ».

Cher

▨ R

PRÉPARATION ET CUISSON :
1 h 30

POUR 4 PERSONNES :

- 1 faisan plumé, vidé, mais non bardé
- 1 pied de veau, fendu en deux
- 500 g de raisins frais (moissac ou muscat)
- 1 fine barde de lard
- 100 g de beurre
- 1 verre à liqueur de cognac
- noix de muscade
- sel, poivre

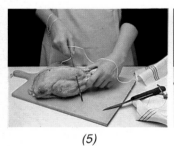
(1)

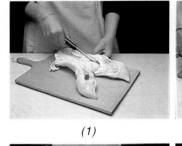
(2)

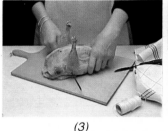
(3)

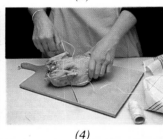
(4)

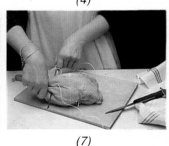

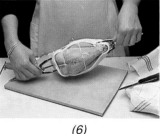
(5)

(6)

(7)

1. Préparez le faisan : salez et poivrez l'intérieur. Mettez-y un peu de noix de muscade rapée. Conservez les parties charnues et gélatineuses ainsi que la peau et les petits os du pied de veau *(photo nº 1)* et farcissez-en le faisan *(photo nº 2).* Puis refermez l'ouverture et bridez-le à l'aide d'une aiguille à brider et d'une ficelle fine en suivant les photos nºˢ 3, 4, 5, 6.
Salez et poivrez l'extérieur. Bardez et embrochez le faisan, bien centré *(photo nº 7).*

2. Faites rôtir le faisan à la broche dans le four (th. 7/8) de 20 à 25 minutes par livre, en arrosant souvent, pendant la cuisson, avec du beurre fondu. Récupérez ensuite ce bon jus déposé dans la lèchefrite, et versez-le dans une casserole. Ajoutez les raisins, préalablement épluchés. Faites réchauffer le tout. Arrosez de cognac et faites flamber.

3. Présentez le faisan, après en avoir retiré la barde et le pied de veau, entouré des raisins. Servez à part le reste de sauce.

GIGUE DE CHEVREUIL A LA SAINT-HUBERT
A LA BROCHE

Mariné, rôti à la broche, la gigue de chevreuil s'accommode des légumes les plus variés. Ici, avec des haricots rouges, vous obtiendrez un plat aussi haut en couleurs que savoureux !

Cher

▦ R

**PRÉPARATION
ET CUISSON : 1 h 30
+ 4 h environ de marinade**

POUR 8 PERSONNES :

- 1 gigue de chevreuil
de 2 kg environ
- 50 g de beurre
- 50 g de raisins secs
- 25 g d'amandes effilées
- 1 cuil. à café
de moutarde forte
- 1 cuil. à café
de gelée de groseille
- sel, poivre en grains

Marinade :
- 5 cuil. à soupe d'huile
- 5 cuil à soupe de cognac
- 5 cuil. à soupe de vin
blanc
- 1 oignon
- 2 branches de persil
- sel, poivre

1. Faites mariner la gigue de chevreuil dans le mélange : huile, cognac, vin blanc, oignon émincé, persil, sel et poivre. Enduisez-la souvent afin que la chair soit bien imprégnée.

2. Embrochez la gigue, bien centrée sur la broche, et enfournez à th. 8/9 puis, après 10 minutes, réglez à th. 7/8. Laissez cuire pendant trois quarts d'heure minimum (de 11 à 12 minutes par livre), pour ceux qui aiment un peu saignant. Pendant la cuisson, arrosez souvent avec le liquide de la marinade. En fin de cuisson, laissez la viande se reposer pendant 10 minutes environ, avant de la découper (tenez-la au chaud).

3. Servez la gigue sur un plat de service chaud, avec la sauce à part. Préparez celle-ci avec le jus de cuisson, recueilli dans la lèchefrite, additionné de raisins secs et fouetté avec ˙un peu de beurre frais, de moutarde et de gelée de groseille. Ajoutez, au besoin, sel, poivre en grains moulu puis, au dernier moment, les amandes effilées.

4. Accompagnez de haricots rouges cuits comme des haricots blancs avec oignon piqué d'un clou de girofle, carottes en rondelles et bouquet garni, mais en y ajoutant aussi un petit morceau (150 g environ) de lard de poitrine.

NOTE : On peut toujours piquer de lard gras la chair d'un gibier qui semble un peu sèche. Demandez au volailler de le faire au moment de l'achat.

GIGUE DE CHEVREUIL DOMINO   A LA BROCHE

La chair du chevreuil, une des plus délicates et des plus tendres de tous les gibiers à poil, gagne à être dégustée un peu saignante, après avoir reposé une dizaine de minutes avant d'être découpée.

Cher

 R

PRÉPARATION ET CUISSON :
1 h 30 + 4 h environ
de marinade

POUR 8 PERSONNES :

■ **1 gigue de chevreuil de 2 kg environ**
■ **3 échalotes**
■ **70 g de beurre**
■ **sel, poivre**

Marinade :
(voir marinade de la « gigue de chevreuil à la Saint-Hubert » page 256)

1. Faites mariner la gigue comme indiqué p. 256.

2. Embrochez-la et faites-la rôtir de la même façon également. Après cuisson, retirez-la de la broche *(photo n° 1)* et laissez-la reposer au chaud 10 minutes avant de la découper.

3. Préparez la sauce, en faisant blondir les échalotes hachées dans le beurre. Ajoutez-y le jus de cuisson recueilli dans la lèchefrite. Rectifiez l'assaisonnement.

4. Découpez la gigue comme un gigot de mouton *(photos n° 2 et 3).*

5. Servez, avec la sauce à part, et accompagnée d'une purée de légumes blancs (céleri-rave ou navets) et foncés (purée de marrons). Présentez également une coupelle de gelée de groseille, pour les amateurs.

(1)   *(2)*   *(3)*

LAPIN AUX ÉPICES

La chair du lapin, assez serrée, a tendance à dessécher à la cuisson et, si le lapin est trop jeune, elle est un peu fade. Deux raisons pour faire mariner puis badigeonner, en cours de cuisson, le lapin dans un mélange d'huile et d'épices. N'utilisez pour cette recette que le râble et les pattes d'un gros lapin.

Cher

 R

 B

**PRÉPARATION
ET CUISSON : 1 h + 2 h de marinade**

POUR 6 PERSONNES :

- le râble et les pattes d'un gros lapin
- 1 gros oignon
- 1 cuil. à soupe rase de gingembre
- 1/2 cuil. à soupe de safran
- 1 cuil. à soupe de poudre de piment doux
- 1 verre de vin blanc sec
- 1/2 verre d'huile
- sel

1. Faites chauffer dans une petite casserole : vin blanc, huile, oignon très finement haché (au mixer de préférence), gingembre, safran, piment doux et sel. Faites bouillir et versez sur le lapin, déposé dans un plat creux. Retournez le lapin à plusieurs reprises dans la marinade afin que la chair s'imprègne bien des épices.

2. Embrochez solidement le râble de lapin et mettez à cuire sur le barbecue près des braises moyennement chaudes. Arrosez très souvent de marinade en cours de cuisson. Laissez griller ainsi, à chaleur moyenne, de 40 minutes à 1 heure, selon la grosseur du râble.

3. Servez le lapin aux épices sur un grand plat de service chaud, accompagné éventuellement d'un riz pilaw aux raisins secs.

MAGRETS DE CANARD A LA SARLADAISE

AU GRIL

Le magret, c'est le morceau le plus fin, le plus charnu, le moins gras du canard, c'est le filet. Découpé à cru, il se cuit comme un tournedos (bardé ou non). Plus particulièrement connu et cuisiné dans le Périgord, il adore la truffe : inutile de préciser qu'avec cet accompagnement, c'est un plat de roi !

Cher

 G

 B

**PRÉPARATION
ET CUISSON : 1 h**

POUR 4 PERSONNES :

- 4 magrets de canard
- 1 truffe en boîte
- 1 kg de pommes de terre
- 100 g de graisse d'oie ou de canard (à défaut, de beurre)
- sel, poivre

1. Cuisez les pommes de terre, épluchées et coupées en rondelles épaisses, dans 75 g de graisse d'oie ou de canard. Salez et poivrez, laissez dorer tout doucement. Cinq minutes avant la fin de la cuisson, ajoutez aux pommes de terre le jus contenu dans la boîte de truffes.

2. Grillez les magrets après les avoir enduits de graisse d'oie fondue, additionnée de sel et de poivre en grains moulu, dans le gril moyennement chaud, de 4 à 6 minutes.

3. Présentez les magrets sur un lit de pommes de terre entremêlées de lamelles de truffes. Servez très chaud, aussitôt.

VARIANTE : Vous pouvez remplacer la truffe entière par des miettes de truffes, en boîte, d'un prix plus abordable. La présentation sera moins prestigieuse mais le plat, par lui-même, tout aussi savoureux !

OISON FARCI A LA NORMANDE

Afin que la cuisson de l'oie à la broche se fasse le plus facilement possible, il est préférable de choisir une oie de petite taille, un oison par exemple. Sa chair tendre et juteuse s'accommodera parfaitement de la douce et légère acidité de la pomme.

Cher

▣ R

**PRÉPARATION
ET CUISSON : 2 h**

POUR 6 A 8 PERSONNES :

- **1 oison de 1,500 à 2 kg, vidé**
- **12 pommes-fruits**
- **9 petites saucisses chipolatas**
- **1/2 cuil. à café de cannelle en poudre**
- **50 g de beurre**
- **sel, poivre**

1. Farcissez l'oison avec les quartiers de 2 ou 3 pommes épluchées. Saupoudrez de cannelle. Introduisez en même temps, plusieurs noisettes de beurre. Bridez la volaille comme indiqué sur les photos de la recette « oison à l'alsacienne » p. 266.

2. Embrochez l'oison, bien centré sur la broche. Salez, poivrez et mettez dans le four à th. 7/8 puis, 1/4 d'heure après, réglez le th. à 5/6. Laissez cuire ainsi 1 heure 15 au moins (25 minutes par livre). Laissez reposer quelques instants au chaud, avant de découper.

3. Cuisez les pommes restantes, préalablement épluchées et farcies d'une petite saucisse, dans la lèchefrite placée sous la broche. Les pommes cuiront en s'imbibant du jus de l'oison.

4. Servez l'oison entouré de pommes cuites sur un plat de service chaud. Présentez la sauce à part.

OISON A L'ALSACIENNE

Pour maintenir la farce et brider l'oie, voici une petite astuce qui nous vient d'Améri-que, des mini-brochettes que l'on achète chez les grands quincaillers, et que l'on place selon les tours de mains filmés pour vous, sur cette page.

Cher

R

Préparation et cuisson : 2 h

POUR 6 A 8 PERSONNES :

- **1 oison de 1 kg 500 à 2 kg, vidé**
- **350 g de chair à saucisse**
- **persil**
- **3 grains de coriandre**
- **sel, poivre**

(1)

(2)

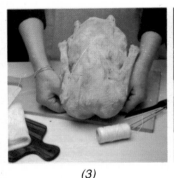

(3)

(4)

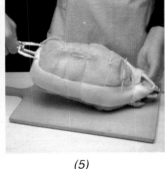

(5)

1. Farcissez l'oison avec la chair à sau-cisse, additionnée de persil haché et de grains de coriandre écrasés. Salez et poi-vrez l'extérieur.

2. Bridez l'oison en commençant par ra-battre la peau du cou sur le dos de la vo-laille et en la maintenant avec une petite brochette *(photo n° 1)*. Ensuite, après avoir tassé la farce à l'intérieur, refermez l'ouverture du croupion en plantant deux petites brochettes en travers et en ficelant en croix *(photo n° 2)* puis, avec la même

longue ficelle, liez ensemble pilons et croupion. Enfin retournez l'oison. Faites passer la ficelle en croix sur le dos pour maintenir cette fois les ailes *(photo n° 3)*. Liez solidement. Mettez une barde *(photo n° 4)* et embrochez *(photo n° 5)*.

3. Faites rôtir dans le four, à th. 7/8, puis 5/6, en comptant 25 minutes environ par livre.

4. Servez sur un lit de choucroute, avec pommes vapeur et saucisses intercalées.

PINTADE SAINT-GERMAIN

A LA BROCHE

Entre le poulet et le faisan, la pintade, originaire d'Afrique, était considérée autrefois comme une volaille de luxe. Sa saveur fine, et légèrement musquée, s'accommode bien de moelleuses purées de légumes, au goût toutefois personnalisé !

Raisonnable

 R

B

PRÉPARATION ET CUISSON : 1 h 15

POUR 4 PERSONNES :

- 1 pintade bridée et bardée de 1 kg 200 à 1 kg 500
- 400 g de pois cassés
- 2 oignons
- 3 feuilles de laitue
- sauge fraîche
- 150 g de beurre
- 2 cuil. à soupe de crème fraîche
- sel, poivre

1. Cuisez les pois cassés à l'eau salée (si possible en 2 cuissons, pour une meilleure digestibilité) avec les oignons, les feuilles de laitue et une branche de sauge fraîche.

2. Badigeonnez la pintade de beurre fondu (100 g) additionné de quelques feuilles de sauge fraîche pilées, du sel et du poivre.

3. Embrochez la pintade, bien centrée, et faites-la cuire dans le four assez chaud (th. 6/7), pendant une heure environ. Mettez le reste de beurre fondu dans la lèchefrite et arrosez souvent en cours de cuisson.

4. Préparez la purée Saint-Germain : retirez la sauge et passez les pois cassés avec oignons et laitue, dans le mixer. Ajoutez-y du beurre, de la crème et du poivre.

5. Présentez la pintade, débarrassée de sa barde, sur un plat de service chaud et, à part, la purée Saint-Germain (décorée éventuellement de croûtons frits au beurre) ainsi que la sauce, dans une saucière.

POULET A LA BROCHE MAÎTRE D'HÔTEL

C'est la recette la plus sage pour accommoder le poulet. Juste garni des quelques aromates très sobres et de beurre, à l'intérieur, il cuira tout seul, ou presque, sur la broche rotative. Choisissez donc de préférence, pour cette cuisson, un bon poulet à la chair savoureuse.

Raisonnable

 R

🔥 B

PRÉPARATION ET CUISSON : 1 h 30

POUR 6 PERSONNES :

- 1 beau poulet de Bresse de 2 kg environ (avec son foie)
- thym
- sel, poivre

Beurre maître d'hôtel :

- 250 g de beurre (mou)
- 2 citrons
- 1 gros bouquet de persil
- sel et poivre

1. Préparez le beurre maître d'hôtel en malaxant : beurre, jus de citron, persil haché, sel et poivre. Mettez dans le réfrigérateur.

2. Mettez à l'intérieur du poulet, le foie, du thym effeuillé et 2 ou 3 noix de beurre maître d'hôtel. Refermez et bridez le poulet.

3. Embrochez solidement le poulet et mettez-le à cuire près des braises du barbecue assez chaudes, d'abord, afin de laisser le peau se dorer, puis moyennement chaudes ensuite. Une fois que le poulet commence à prendre couleur, badigeonnez-le d'un peu de beurre maître d'hôtel fondu et renouvelez plusieurs fois. Laissez cuire ainsi une bonne heure, selon la grosseur du poulet.

4. Servez le poulet tout doré, accompagné de pommes de terre cuites sous la cendre ou en papillote d'alu et présentez le beurre maître d'hôtel en coquilles.

POULET FARCI A LA FERMIÈRE A LA BROCHE

Un assortiment d'aromates et de fines herbes de saison. Un peu de lard, de chair à saucisse et un œuf, pour lier le tout... voilà de quoi enrichir, et transformer une simple volaille rôtie en un succulent plat rustique certes, mais de bon, d'excellent goût !

Raisonnable

R

B

**PRÉPARATION
ET CUISSON : 1 h 30**

POUR 6 PERSONNES :

- 1 beau poulet, vidé mais non bridé
- 100 g de lard de poitrine fumée
- 30 g de beurre
- 1 ou 2 oignons
- 1 gousse d'ail
- 200 g de chair à saucisse
- thym
- 1 œuf
- estragon, ciboulette, persil
- sel, poivre

1. Préparez la farce : faites fondre dans le beurre, le lard coupé en petits dés. Ajoutez-y les oignons hachés, le foie du poulet en morceaux et, au dernier moment, l'ail haché. Hors du feu, malaxez, avec la chair à saucisse, thym effeuillé, sel, poivre, œuf et enfin estragon, ciboulette et persil hachés. Tassez cette farce dans le poulet. Refermez l'ouverture. Bridez, salez et poivrez la volaille.

2. Embrochez le poulet, bien centré, et mettez-le dans le four chaud (th. 7/8), pendant 20 minutes par livre environ. Arrosez-le en cours de cuisson avec le jus.

3. Présentez le poulet, sur un plat de service chaud, entouré de cresson. Servez la sauce à part, dans une saucière.

POULET GRILLÉ A L'ANTILLAISE AU GRIL

Coupé en quatre, ce poulet grillera très facilement sur votre barbecue. Avec une pointe d'ail et de piment, subtilement répartis en cours de cuisson et dans la sauce, le poulet à l'antillaise, servi tout chaud avec une sauce froide, mais épicée, apportera une note d'exotisme, originale, en toute facilité et toute simplicité.

Raisonnable

G

B

PRÉPARATION ET CUISSON :

POUR 4 PERSONNES :

- 1 poulet coupé en quatre
- 2 citrons
- 2 gousses d'ail
- 1 échalote
- 1 petit piment rond, frais, de la Martinique
- huile
- sel, poivre

1. Badigeonnez les morceaux de poulet d'un mélange : ail haché, jus d'un citron et autant d'huile, sel et poivre.

2. Grillez les morceaux de poulet, sur le barbecue, au-dessus des braises bien rouges, tout d'abord, puis moins chaudes ensuite. Retournez à mi-cuisson. Badigeonnez à plusieurs reprises avec le mélange aillé. Laissez cuire au total une trentaine de minutes. Veillez à ce que la peau soit très joliment dorée.

3. Servez tout chaud au sortir du gril avec une sauce contenant : échalote hachée, jus d'un citron, huile, piment frais très finement haché, sel et poivre.

274

POULET A LA DAUPHINE A LA BROCHE

Dauphine est le féminin de dauphin : titre du fils aîné du roi de France, ainsi nommé depuis l'acquisition du Dauphiné. A quelle dauphine doit-on le nom de ces croquettes de purée de pommes de terre, mêlées de pâte à choux ? Difficile à savoir ! En revanche, la richesse et la variété des productions du Dauphiné sont incontestées. Entre autres, cèpes et morilles y abondent. Si c'est la saison, profitez-en pour en farcir un bon poulet, avant de le rôtir à la broche, sinon mettez des champignons de Paris.

Assez cher

🖾 R

🎑 B

**PRÉPARATION
ET CUISSON : 1 h 30**

POUR 6 PERSONNES :

- 1 beau poulet (de Bresse de préférence) vidé, mais non bridé
- 200 g de champignons (cèpes, morilles ou champignons de Paris)
- 3 foies de volailles (dont celui du poulet)
- 50 g de beurre
- 1 échalote
- 1 petit verre de cognac
- 1/2 tasse de mie de pain, trempée dans du lait
- une trentaine de pommes dauphine surgelées
- sel, poivre

1. Préparez la farce : dans une casserole contenant le beurre fondu, faites revenir les champignons épluchés, lavés et coupés en morceaux, ainsi que les foies, coupés également. Ajoutez-y l'échalote hachée sel, poivre et cognac. Malaxez hors du feu avec la mie de pain essorée. Tassez cette farce dans le poulet. Refermez l'ouverture et bridez-le. Salez et poivrez.

2. Embrochez le poulet, bien centré, mettez-le dans le four chaud (th. 7/8), pendant 20 minutes par livre environ. Arrosez, en cours de cuisson, avec le jus.

3. Enfilez les pommes dauphine surgelées sur des brochettes et mettez-les à réchauffer dans le four.

4. Présentez le poulet, sur un plat de service chaud, entouré de feuilles de salade ou de cresson. Présentez, à part, la sauce en saucière et les brochettes de pommes dauphine.

LÉGUMES ET FRUITS

S'il reste un peu de place sur le gril à côté de la viande ou du poisson, tandis que tourne le rôti sur sa broche et que la braise rougeoie, c'est le moment de faire griller **aussi** les légumes. Voilà qui vous changera de l'éternelle cuisson à l'eau ou à la vapeur. Sans compter que sur le plan gustatif et diététique (on ne le répétera jamais assez) les légumes grillés vous font profiter au maximum de toutes les bonnes choses qu'ils renferment.

Et les fruits, donc ! Les gros à la broche, les petits au gril : c'est nouveau, c'est surprenant, c'est succulent, c'est amusant, c'est...

... la Fête des Enfants.

En Angleterre, en Amérique, les « goûters d'enfants » sont une habitude bien plus répandue que chez nous. Une habitude excellente car il n'est jamais trop tôt pour apprendre à vivre en société. Surtout en s'amusant et en se régalant. Un gros ananas rôti à la broche, des brochettes de fruits sur le gril, beaucoup de serviettes en papier, un tas de jouets, des masques et des chapeaux en carton de toutes les couleurs... « Bonne fête les enfants ! » Et, un peu plus tard : « Merci, Madame ! Merci, Maman... »

BARBECUE DE LÉGUMES

Tous les légumes, ou presque, peuvent griller sur le barbecue. Entiers et non épluchés, coupés en deux ou protégés dans une papillote, leur couleur, leur variété, leur parfum, leur rusticité, sont une joie pour tous !
Plutôt qu'une recette, voici quelques conseils pour chacun d'entre eux. La liste n'est pas exhaustive, mais avec ces principes de base, vous pourrez les adapter à tous les légumes qui ne sont pas cités ici mais que vous aurez envie de griller au barbecue :

Légumes entiers : épis de maïs (voir recette p.288), poivrons, petites aubergines, courgettes, etc. Ne les épluchez pas, ne les huilez pas. Cuisez-les directement sur la grille du barbecue, au-dessus des braises moyennement chaudes. Retournez-les souvent pendant la cuisson.

Légumes coupés en deux, par exemple : demi-tomates (voir tomates provençales p.294), demi-aubergines (lorsqu'elles sont grosses) demi-poivrons (lorsqu'ils sont gros aussi. Dans ce cas, retirez les pépins), etc. Badigeonnez d'huile la face coupée, salez et poivrez. Commencez par mettre cette partie coupée à cuire en premier et assez rapidement. Les légumes cuiront réellement, une fois retournés et protégés par leur peau.

Légumes coupés en tranches, par exemple : tranches de pommes de terre, d'aubergines ou d'oignons de 1 cm environ d'épaisseur.
Enduisez-les d'huile. Cuissez-les rapidement avec précaution. Vous pourrez cuire de la même façon les têtes de champignons de Paris.

Légumes en papillotes. Là, deux possibilités :
1. non épluchés, par exemple : pommes de terre, patates douces, pommes fruits, oignons, tête d'ail, etc. Enveloppez-les simplement dans le papier d'aluminium et cuisez-les sur la grille du barbecue ou directement dans les braises moyennement chaudes. Retournez-les souvent.
2. Épluchés, par exemple : oignons nature piqués d'un clou de girofle ou farcis (voir recette p.290) champignons des bois, etc.
Badigeonnez au préalable la papillote de beurre et enfermez éventuellement avec des épices ou aromates.
Cuisez-les commes les autres légumes en papillotes.

CÈPES GRILLÉS A LA MÉRIDIONALE   AU GRIL

On devine le parfum des herbes sèches du Midi et de l'ail.., mais on ne les voit pas. Ces cèpes grillés, à l'apparence très sobre, sont tout à fait délicieux. Vous pouvez les servir seuls, en entrée, ou autour d'une viande ou d'une volaille. Une simple omelette et une salade présentées à leur côté peuvent également constituer l'élément principal d'un repas de gourmets !

Cher

 G

 B

**PRÉPARATION
ET CUISSON : 15 mn
+ 1/2 h de marinade**

POUR 4 PERSONNES :

- **de 8 à 12 têtes de cèpes**
- **100 g de beurre salé**
- **persil**

Marinade :
- **huile aux aromates**
- **2 gousses d'ail**
- **sel, poivre**

1. Faites mariner les têtes de cèpes dans un mélange d'ail bien pilé et d'huile aux aromates (préparé à l'avance dans votre bouteille voir p. 30/31), du sel et du poivre. Laissez-les ainsi une demi-heure environ, en les retournant souvent.

2. Grillez les têtes de cèpes dans le gril moyennement chaud, de 3 à 5 minutes environ, selon leur épaisseur.

3. Servez-les avec, à part dans une saucière, un beurre salé, juste fondu, additionné de persil frais haché.

CHAMPIGNONS FARCIS A LA CHARENTAISE
AU GRIL

Des champignons qui grillent, en exhalant une bonne odeur de beurre, d'ail, de persil... et de champignons ! Voilà de quoi ouvrir l'appétit de tous et constituer une entrée des plus « gourmettes » qui soit.

Raisonnable

 G

 B

**PRÉPARATION
ET CUISSON : 30 mn**

POUR 4 PERSONNES :

- **12 très gros champignons de Paris**
- **2 cuil. à soupe d'huile**
- **1 citron**
- **1/2 tasse de mie de pain trempée dans du lait et essorée**
- **2 gousses d'ail**
- **persil haché**
- **70 g de beurre**
- **sel, poivre**

1. Préparez les têtes des champignons : après les avoir lavées et épongées délicatement, passez-les dans un mélange : huile, jus de citron, sel et poivre. Laissez-les s'en imprégner pendant la préparation de la farce.

2. Faites une farce en mélangeant d'une part, la mie de pain essorée avec l'ail et pas mal de persil hachés, d'autre part, les queues des champignons, lavées, grossièrement hachées et passées dans le beurre chaud. Incorporez bien le tout et remettez dans la casserole où vous avez fait blondir les queues des champignons, sur feu très doux, en laissant mijoter quelques minutes, sans cesser de remuer. Salez et poivrez.

3. Garnissez les têtes de champignons avec cette farce, en arasant bien la surface de façon à ce qu'elle ne dépasse pas des têtes de champignons.

4. Grillez les champignons farcis dans le gril moyennement chaud, pendant 2 minutes environ. Laissez encore quelques minutes supplémentaires dans le gril placé en position haute.

NOTE : Les têtes de champignons ne doivent pas être complètement cuites, à la sortie du gril, sinon elles s'écraseraient. A la limite, on pourrait présenter cette farce dans les têtes de champignons crus, mais ici le gril harmonise bien l'association style « nouvelle cuisine ».

COURGETTES A LA PERSILLADE

La courgette douce, tendre et fragile supportera la forte chaleur du gril si vous la protégez d'un fine crépine de porc. Sous cette jolie dentelle improvisée, vous pouvez introduire une persillade aussi appétissante qu'agréablement odorante.

Bon marché

 G

 B

PRÉPARATION ET CUISSON : 30 mn

POUR 4 PERSONNES :

- 4 ou 5 courgettes
- 1 belle crépine de porc
- 2 gousses d'ail
- 2 cuil. à soupe de chapelure
- 125 g de beurre
- 1 citron
- persil
- sel, poivre

1. Coupez les courgettes en deux, dans la longueur et aspergez-les de jus de citron.

2. Mélangez sur le feu, dans une petite casserole, le beurre, la chapelure, l'ail haché, du sel et du poivre. Laissez fondre ensemble mais ne laissez pas cuire. Ajoutez le persil haché. Répartissez ce mélange sur les demi-courgettes. Enveloppez chacune d'un morceau de crépine de porc.

3. Grillez les demi-courgettes dans le gril moyennement chaud et placé dans la position haute. Laissez cuire de 10 à 15 minutes jusqu'à ce que la crépine soit fondue et la surface joliment dorée.

ÉPIS DE MAÏS GRILLÉS

Dans de nombreux pays chauds où le maïs est la céréale numéro un, on rencontre souvent dans les rues, des marchands qui font griller les épis de maïs sous nos yeux, comme les marrons grillés chez nous, et que l'on déguste sur place en croquant joyeusement les grains chauds, grillés à l'extérieur et moelleux à l'intérieur. Un repas-barbecue est une bonne occasion de vous livrer à cette rustique dégustation, simple et « bon enfant ».

Bon marché

 G

B

**PRÉPARATION
ET CUISSON : 30 mn**

POUR 4 PERSONNES :

■ **4 ou 8 épis de maïs
(frais ou surgelés)**
■ **beurre salé**

1. Enduisez les épis de maïs préalablement débarrassés de leurs feuilles, de beurre salé fondu.

2. Grillez les épis de maïs sur le barbecue, au-dessus des braises assez chaudes. Retournez souvent en cours de cuisson et badigeonnez à plusieurs reprises de beurre salé fondu. Arrêtez la cuisson lorsque les grains sont bien dorés extérieurement et moelleux intérieurement.

3. Servez tel quel avec du beurre salé et du poivre. Ces épis de maïs peuvent se déguster seuls ou en accompagnement de toutes les viandes et volailles rôties ou grillées.

NOTE : une variante consiste à mettre directement sur le barbecue les épis de maïs frais, encore enveloppés de leurs feuilles. Au bout de 10 minutes, retirez-les et, lorsqu'ils sont moins chauds, ôtez les feuilles. Badigeonnez les épis de beurre salé fondu et continuez la cuisson sur le gril. Ils seront plus moelleux.

OIGNONS FARCIS EN PAPILLOTES

AU GRIL

Nous avons l'habitude d'utiliser l'oignon en petite quantité simplement pour relever ou mettre en valeur le goût des aliments principaux. Mais dans de nombreux pays, il est utilisé comme légume d'accompagnement : les ragoûts d'oignons doux des pays méditerranéens ou la jatte d'oignons crus émincés que l'on ne manque pas de vous apporter, en Yougoslavie par exemple, avec des brochettes ou des viandes grillées. C'est une bonne idée et ces oignons farcis en papillote seront un légume d'accompagnement original et savoureux.

Bon marché

 B

**PRÉPARATION
ET CUISSON : 45 mn**

POUR 6 PERSONNES :

- 6 gros oignons (rouges ou blancs)
- 1 reste de viande cuite
- 1 œuf
- 1 tranche de pain de mie
- 2 cuil. à soupe de lait
- noix de muscade
- persil
- 50 g de beurre
- sel, poivre

1. Creusez les oignons, à l'aide d'un couteau pointu puis d'une petite cuillère. N'en retirez pas trop toutefois.

2. Faites la farce en mélangeant : 1 cuillerée à soupe d'oignon haché, le pain de mie trempé dans le lait et essoré, l'œuf, un peu de muscade rapée, pas mal de persil haché, sel et poivre. Mélangez et répartissez à l'intérieur des oignons creusés. Déposez une noisette de beurre sur chacun.

3. Préparez 6 grands carrés dans une feuille d'aluminium. Beurrez l'intérieur. Déposez au centre de chacun un oignon farci. Refermez soigneusement la papillote.

4. Cuisez les oignons farcis en papillotes sur la grille du barbecue ou directement dans les braises moyennement chaudes.

5. Servez en accompagnement de brochettes ou de viandes grillées.

POMMES DE TERRE EN ROBE D'ALU AU GRIL

Rien de plus simple à préparer, de plus sympathique à déguster et de plus adapté à accompagner tout ce qui cuit au barbecue ! Présentées avec du beurre ou de la crème fraîche, du sel et du poivre, c'est un vrai régal.

Bon marché

 B

**PRÉPARATION
ET CUISSON : 30 à 45 mn**

POUR 4 PERSONNES :

- **4 ou 8 pommes de terre**
- **4 ou 8 carrés de papier d'alu**

1. Lavez les pommes de terre, non épluchées, et déposez-les au centre d'un carré de papier d'aluminium. Refermez la papillote.

2. Cuisez les pommes de terre en robe d'alu sur la grille du barbecue ou directement dans les braises moyennement chaudes.

3. Servez les pommes de terre dans leur papillote, ouverte cependant afin de pouvoir fendre chaque pomme de terre et y glisser quelques noix de beurre ou de crème fraîche additionnée de fines herbes hachées. Apportez sur la table : sel, poivre, motte de beurre frais et reste de crème aux fines herbes.

TOMATES A LA PROVENÇALE

AU GRIL

Presque aussi connues que les pommes de terre frites mais beaucoup moins souvent servies sur les tables familiales, les tomates à la provençale restent toutefois le légume d'accompagnement le plus coloré, le plus odorant, le plus facile à préparer, le plus appétissant, le plus adapté à toutes les viandes, et même poissons grillés, le plus ensoleillé et joyeux, disons ... le plus provençal qui soit !

Bon marché

 G

 B

**PRÉPARATION
ET CUISSON : 15 mn**

POUR 4 PERSONNES :

- **4 ou 6 tomates**
- **1 ou 2 gousses d'ail**
- **persil**
- **huile d'olive**
- **sel, poivre**

1. Préparez un fin hachis d'ail et de persil.

2. Grillez les demi-tomates, préalablement enduites d'huile d'olive, de sel et de poivre, sur le gril moyennement chaud. Placez-les sur la face coupée et sans refermer le gril. Au bout de quelques secondes, retournez-les délicatement à l'aide d'une spatule métallique. Parsemez-les alors du hachis d'ail et de persil. Arrosez-les encore d'un petit filet d'huile et placez le gril en position haute. Laissez cuire ainsi 4 minutes environ.

3. Disposez les tomates à la provençale autour d'une viande, d'une volaille, d'une omelette ou d'un poisson, en prenant la précaution de choisir un plat de service suffisamment grand pour les contenir toutes.

ANANAS CARAMÉLISÉ FLAMBÉ

AU GRIL

C'est le dessert « express » le plus facile à faire, le plus spectaculaire et le plus délicieux qui soit ! De plus l'ananas a la réputation de « manger les graisses », il est donc tout indiqué à la fin d'un repas de réception où sa petite note alcoolisée et flambée n'en sera que plus appréciée.

Raisonnable

 G

 B

**PRÉPARATION
ET CUISSON : 15 mn**

POUR 4 PERSONNES :

■ 1 ananas frais ou 8 tranches d'ananas en boîte
■ 3 cuil. à soupe de sucre
■ 2 petits verres de rhum blanc

1. Coupez l'ananas en 8 tranches, après l'avoir épluché et débarrassé de son centre un peu fibreux. Saupoudrez de sucre sur les deux faces.

2. Grillez les tranches d'ananas dans le gril bien chaud, juste 2 ou 3 minutes, s'il s'agit d'un ananas frais et un peu moins pour des tranches en boîtes (plus fragiles). Les tranches doivent toutefois être caramélisées.

3. Présentez les tranches d'ananas sur un grand plat de service chaud. Faites bouillir dans une petite casserole, le rhum blanc. Enflammez-le et versez le tout, flambant, sur les tranches d'ananas caramélisées. Servez aussitôt.

NOTE : Si vous faites cette recette sur la grille d'un barbecue, utilisez uniquement des tranches d'ananas frais.

ANANAS RÔTIS A LA BROCHE

Selon que les ananas à la broche sont destinés aux enfants, pour une fête, un goûter d'anniversaire, etc. ou aux « grands », vous les remplissez de sucre au jus d'orange ou de sucre au rhum. Mais le principe est le même : sous leur écorce protectrice, les ananas fondent, se caramélisent et s'attendrisent sous les flammes du barbecue rougeoyant !

Raisonnable

 R

 B

PRÉPARATION ET CUISSON : 30 mn

POUR 12 A 15 PERSONNES :

- 2 ananas frais
- 6 cuil. à soupe de sucre
- 1 orange (ou 2 petits verres de rhum blanc)
- quelques gouttes de vanille liquide

1. Décapitez chaque ananas, au sommet, à l'endroit de la couronne. A l'aide d'un couteau à lame longue, étroite et bien tranchante, retirez délicatement le centre de chaque ananas qui est toujours fibreux et dur.

2. Emplissez les ananas d'un mélange : sucre, jus d'orange ou rhum blanc et vanille. Badigeonnez-en également le sommet à l'endroit de la coupure.

3. Embrochez solidement les deux ananas, en mettant les deux faces coupées l'une contre l'autre, ou en intercalant, comme sur la photo, les deux couvercles. Laissez tourner la broche ainsi, jusqu'à ce qu'une bonne odeur de caramel commence à se répandre.

4. Servez tel quel dans les écorces. Coupez des tranches épaisses dont chacun retirera le peau au moment de la dégustation.

BANANES ET POMMES FRUITS EN PAPILLOTES

AU GRIL

Que ce soit une papillote naturelle, comme la peau de la banane, ou un papier d'aluminium, le fruit ainsi protégé, cuira en dégageant mieux son parfum et en prenant plus de moelleux. Ces fruits en papillotes peuvent aussi bien être servis en dessert qu'en accompagnement de viandes, volailles ou abats.

Bon marché

 B

PRÉPARATION ET CUISSON : de 15 à 45 mn

POUR 4 PERSONNES :

- **4 pommes**
- **ou 4 bananes**

1. Empapillotez les pommes, non épluchées et lavées, dans des carrés d'aluminium et cuisez-les sur la grille du barbecue ou directement dans les braises moyennement chaudes.

2. Cuisez les bananes dans leur peau sur la grille du barbecue.

3. Servez les fruits tel quel dans leur papillote. Dégustez les bananes à la petite cuillère. L'un ou l'autre sont parfaits en accompagnement de viandes grillées et plus particulièrement épicées.

NOTE : Si vous voulez servir les pommes en dessert, avant de les enfermer dans la papillote, creusez-les à l'aide d'un vide-pomme et emplissez-les d'un peu de sucre en poudre, de calvados et d'une noix de beurre.

SAUCES D'ACCOMPAGNEMENT

BEURRE A LA MAÎTRE D'HÔTEL

POUR 4 A 6 PERSONNES :

- 100 g de beurre mou
- 1 petit citron
- persil
- sel, poivre

(Poissons, viandes, volailles, abats, légumes grillés.)
Malaxez beurre, jus de citron, persil haché, sel et poivre. Roulez dans un papier d'aluminium et mettez au réfrigérateur.
Au moment de servir, retirez le papier d'aluminium et découpez le boudin de beurre maître d'hôtel en rondelles. Présentez celles-ci directement sur les aliments grillés ou, à part, dans une coupelle.

Variantes : vous pouvez remplacer, varier les éléments et obtenir ainsi du :

Beurre d'anchois, en incorporant 1 cuillerée à soupe de crème d'anchois ou quelques filets d'anchois à l'huile ou au sel, écrasés. Dans ce cas ne salez pas ce beurre composé et n'ajoutez pas de persil.

Beurre au ketchup, en incorporant 3 cuillerées à café de ketchup à la place du citron.

Beurre à la menthe, en remplaçant le persil haché par de la menthe fraîche.

Beurre à la moutarde, en incorporant 1 cuillerée à soupe de moutarde forte, à la place du citron.

SAUCE AÏOLI

POUR 4 A 6 PERSONNES :

- 3 ou 4 gousses d'ail
- 1 jaune d'œuf
- 1/4 l environ d'huile d'olive
- 1/2 citron
- sel, poivre

(Poissons, crustacés, viandes grillées.)
Pilez l'ail très finement avec un pilon. Ajoutez-y jaune d'œuf, sel et poivre. Mélangez vigoureusement avec un fouet. Ajoutez peu à peu l'huile. Lorsque la sauce « prend », versez l'huile par plus grande quantité. Incorporez-y une cuillerée à café d'eau chaude et le jus de citron pour terminer.
NOTE : tous les éléments doivent être à la température de la pièce.

SAUCE AMÉRICAINE

POUR 4 PERSONNES :

- 1 oignon
- 2 échalotes
- 1 branche de persil
- 1 branche d'estragon
- 30 g de beurre
- 1 petit verre de cognac
- 1 verre de vin blanc sec
- 1/2 litre de fumet de poisson (en sachet +eau)
- 2 cuil. à soupe de tomate concentrée
- 1 gousse d'ail
- 2 cuil. à soupe de crème fraîche
- 1 cuil. à soupe rase de farine
- sel, poivre de cayenne

(Poissons, crustacés.)
Dans une casserole, faites fondre le beurre avec oignon, échalotes, persil et estragon hachés. Laissez blondir. Ajoutez-y le cognac. Portez à ébullition et faites flamber.
Ajoutez-y : vin blanc, fumet de poisson, tomate concentrée, ail écrasé, sel et 1 ou 2 pincées de poivre de cayenne. Laissez bouillir pendant 15 minutes, sans couvrir.
Délayez la crème fraîche et la farine dans un bol. Incorporez ce mélange à la sauce. Laissez bouillir un instant et servez aussitôt.

SAUCE ANDALOUSE

POUR 4 A 6 PERSONNES :

- 1 bol de mayonnaise
- 1 cuil. à café de paprika
- 1 cuil. à soupe de tomate concentrée

(Poissons, crustacés.)
Incorporez à la sauce mayonnaise, paprika et tomate concentrée. Mélangez vigoureusement au fouet pour obtenir une jolie sauce rose. Servez aussitôt ou faites attendre quelques instants dans le réfrigérateur.

SAUCE BÉARNAISE

POUR 4 PERSONNES :

- 2 échalotes
- feuilles d'estragon
- 1/3 de verre de vinaigre
- 2 jaunes d'œufs
- eau
- 100 g de beurre mou

(Poissons, viande de bœuf grillée.)
Hachez échalotes et estragon. Dans un poêlon épais, faites-les cuire doucement dans le vinaigre jusqu'à évaporation complète. Laissez refroidir.
Hors du feu, ajoutez jaunes d'œufs, même volume d'eau, sel et poivre. Fouettez vigoureusement, sur feu très doux, jusqu'à consistance mousseuse (la casserole ne doit jamais être assez chaude pour brûler la main).
Retirez du feu et incorporez le beurre par petits morceaux.

SAUCE CHARCUTIÈRE

POUR 4 PERSONNES :

- 1 oignon
- 40 g de beurre
- 30 g de farine
- 1 verre de vin blanc
- 2 verres d'eau
- 1 cuil. à café de moutarde
- 2 cornichons
- persil
- câpres
- sel, poivre

(Porc, abats.)
Faites revenir l'oignon haché dans le beurre. Saupoudrez de farine. Mélangez. Laissez cuire un instant.
Ajoutez-y : vin, eau, sel, poivre. Laissez bouillir 10 minutes. Joignez moutarde, rondelles de cornichons, persil haché, câpres, et servez.

SAUCE CHASSEUR

POUR 4 PERSONNES :

- 40 g de beurre
- 2 échalotes
- 30 g de farine
- 1 verre de vin blanc
- 2 verres d'eau
- tomate concentrée
- 100 g de champignons
- thym, laurier
- cerfeuil ou persil
- sel, poivre

(Veau, poulet, lapin).
Sur feu doux, faites blondir au beurre les échalotes hachées. Saupoudrez de farine. Mélangez jusqu'à légère coloration. Ajoutez-y : vin, eau, une cuillerée à soupe de tomate concentrée, champignons en lamelles, thym, laurier, sel, poivre, cerfeuil ou persil haché. Remuez jusqu'à ébullition. Couvrez. Laissez mijoter 10 minutes.

SAUCE CHORON

POUR 4 PERSONNES :

- sauce béarnaise
- 1 cuil. à café de tomate concentrée

(Poisson, crustacés, viandes et abats grillés.)
Incorporez au dernier moment, à la sauce béarnaise, la tomate concentée.

SAUCE CRÈME VERTE

POUR 4 PERSONNES :

- 400 g de crème fraîche
- cerfeuil, ciboulette, cresson (une quinzaine de brins ou de feuilles de chaque)
- sel, poivre

(Poissons, coquillages, crustacés, lapin ou veau grillé.)
Dans un mixer, de préférence, broyez les fines herbes afin d'obtenir un jus vert. Ajoutez-y crème fraîche, sel et poivre. Fouettez vigoureusement et servez aussitôt ou laissez attendre, juste quelques instants, dans le réfrigérateur.

SAUCE AU CURRY

POUR 4 PERSONNES :

- 30 g de beurre
- 30 g de farine
- 1 cuil. à café de curry
- 1 bol de bouillon de viande ou de poisson
- crème fraîche
- sel, poivre

(Poissons, viandes, volailles.)
Sur feu doux, mélangez beurre farine et curry. Laissez cuire un instant. Ajoutez-y d'un seul coup, le bouillon froid. Salez et poivrez. Remuez jusqu'à ébullition.
Laissez mijoter 10 minutes. Au dernier moment, incorporez la crème et servez.

SAUCE A LA DIABLE

POUR 4 A 6 PERSONNES :

- 1 oignon
- 2 échalotes
- vinaigre de vin
- 50 g de beurre
- 1 cuil. à soupe pleine de farine
- 1/2 l de bouillon de viande
- 1 cuil. à soupe de tomate concentrée
- 1 cuil. à soupe de poudre de piment doux
- 1 cuil. à soupe de moutarde forte
- cerfeuil, estragon
- sel, poivre de cayenne

(Viandes, volailles, abats.)
Dans une casserole mettez oignon et échalotes hachés avec 2 cuillerées à soupe de vinaigre. Portez à ébullition et laissez réduire presque complètement le vinaigre. Ajoutez le beurre puis la farine. Mélangez au fouet vigoureusement. Incorporez alors le bouillon, la tomate concentrée, la poudre de piment doux, du sel, et 1 ou 2 pincées de poivre de cayenne. Fouettez jusqu'à ébullition puis laissez cuire une dizaine de minutes.
Au moment de servir, ajoutez la moutarde, 1 cuillerée à soupe de vinaigre puis les feuilles d'estragon et de cerfeuil hachées.

SAUCE MADÈRE

POUR 4 PERSONNES :

- 1 oignon
- 40 g de beurre
- 30 g de farine
- 1/2 l de liquide (1 verre de vin blanc, jus des champignons et eau)
- 1 verre de madère
- 1 petite boîte de champignons
- sel, poivre

(Viandes, poulets, lapins, abats, jambon.)
Faites blondir légèrement l'oignon haché avec le beurre. Saupoudrez de farine. Mélangez et laissez cuire sur feu doux.
Ajoutez-y le liquide froid. Salez, poivrez. Remuez jusqu'à ébullition. Joignez madère et champignons en lamelles. Laissez mijoter 10 minutes.

SAUCE MAYONNAISE

POUR 4 A 6 PERSONNES :

- 1 jaune d'œuf
- vinaigre
- moutarde forte
- 1/4 de litre d'huile
- sel, poivre

(Poissons, coquillages, crustacés, viandes froides.)
Dans un bol, mélangez bien avec un fouet : 1 jaune d'œuf, une demi-cuillerée à café de vinaigre, une cuillerée à café de moutarde. Salez poivrez. Puis ajoutez l'huile goutte à goutte. Quand la sauce commence à prendre, versez l'huile plus abondamment. Tournez sans arrêt.
A la fin, ajoutez encore une demi-cuillerée à café de vinaigre. Quand la mayonnaise très ferme devient difficile à tourner, c'est que le jaune d'œuf a absorbé la quantité d'huile maximum. Si on lui en rajoute davantage, l'émulsion risque de « casser » et la mayonnaise de tourner.

NOTE : Tous les éléments doivent être à la même température.

SAUCE MOUSQUETAIRE

POUR 4 A 6 PERSONNES :

- 1 bol de mayonnaise
- 1 échalote
- ciboulette
- poivre de cayenne

(Poissons, crustacés, viandes froides.)
Incorporez à la mayonnaise une échalote et de la ciboulette hachées ainsi que 1 ou 2 pincées de poivre de cayenne.

SAUCE A LA MOUTARDE

POUR 4 PERSONNES :

- 30 g de farine
- 50 g de beurre
- 1/2 l d'eau froide
- moutarde forte
- persil
- sel, poivre

(Poissons, porc, abats.)
Sur feu doux, mélangez la farine avec 30 g de beurre. Laissez cuire un instant. Ajoutez-y en une seule fois, eau froide, sel, poivre. Mélangez jusqu'à ébullition. Laissez mijoter 10 minutes. Hors du feu, incorporez-y une cuillerée à soupe de moutarde, une noix de beurre et le persil haché.

SAUCE RÉMOULADE

POUR 4 A 6 PERSONNES :

- 1 bol de mayonnaise
- 1 cuil. à café de moutarde forte
- 1 cuil. à soupe de câpres
- 2 cornichons
- persil, ciboulette

(Poissons, porc grillé, viandes froides.)
Ajoutez, dès le départ, la moutarde forte à la mayonnaise. Incorporez, à la fin : câpres, cornichons en rondelles, persil et ciboulette hachés. Servez aussitôt ou laissez attendre juste quelques instants dans le réfrigérateur.

SAUCE AU ROQUEFORT

POUR 4 A 6 PERSONNES :

- 1 tasse de mayonnaise
- 1 tasse de fromage blanc
- 50 g de roquefort
- poivre de cayenne

(Poissons, viandes grillées.)
Écrasez le roquefort dans un saladier. Fouettez avec le fromage blanc et le poivre de cayenne puis, plus délicatement, ajoutez la mayonnaise.

INDEX DES RECETTES

PAR ORDRE ALPHABÉTIQUE

309

312

INDEX PAR CHAPITRES

Les photos sont de Gilles DARQUÉ, Paris
La mise en page a été exécutée par les Studios Gérard, Paris.
Imprimé en Italie sur les presses de : Istituto Italiano d'Arti Grafiche - Bergamo
Dépôt légal : 2e trimestre 1980
I.S.B.N. : 2-903101-16-7

BRUNETOILE, 17, rue des Dames-Augustines, 92200 NEUILLY
Téléphone : 758.66.00
Télex : 610.461 F.